New INHA KOREAN 4

인하대학교 언어교육원
Inha University
Language Training Center

4

새 인하 한국어

최권진, 유지숙, 장정숙, 이경복 지음

인하대학교 출판부
INHA UNIVERSITY PRESS

지은이

최권진
인하대학교 언어교육원 주임교수
소피아대학교 언어학 박사

유지숙
인하대학교 언어교육원 강사
인하대학교 교육대학원 한국어교육 석사

장정숙
인하대학교 언어교육원 강사
동덕여자대학교 대학원 한국어교육 석사

이경복
인하대학교 언어교육원 강사
가톨릭대학교 교육대학원 한국어교육 석사

도움을 주신 분

- **지원:** 인하대학교 총장 박춘배, 인하대학교 언어교육원장 김태승
- **행정:** 인하대학교 출판부, 인하대학교 언어교육원 행정실
- **사진 · 삽화:** 언어교육원 교사와 가족, Foldesi Emese, Sabushimike Donatien, Ndour Moustapha, Li Yang, Le Hoai Giang, Dinh Huong Thao, Bendoufiaf Abdelmoumene, Duurenjargal Dulguun, Abdullah Hassan Abdulla, 박준형, 이병준, 김가희, 김연진, 김혜원, 최충효, Rositsa Hristova 등
- **녹음:** 언어교육원 교사, 김민희, 이병선

국립중앙도서관 출판시도서목록(CIP)

새인하한국어 = New INHA Korean. 4 / 최권진, 유지숙, 장정숙, 이경복 지음.
-- [인천] : 인하대학교 출판부, 2014
p. ; cm

색인수록
ISBN 978-89-7407-962-8 14700 : 27000
ISBN 978-89-7407-961-1 (세트) 14700

한국어 학습[韓國語學習]
한국어 교재[韓國語教材]

717.6-KDC5
495.78-DDC21 CIP2014026030

일러두기

새인하한국어4는 한국어를 배우는 외국인 학습자를 위한 교재로 총 12과로 이루어져 있으며 각 과는 '단원 구성, 준비하기 1, 2, 문법, 듣기, 말하기, 읽기, 쓰기, 문화 이해하기'로 구성되어 있다. 교재 지문을 모두 CD에 포함하여 학습자의 발음을 수정하거나 스스로 듣는 훈련을 통해 한국어 듣기 능력을 향상할 수 있도록 하였다.

도입: 한 단원을 아우를 수 있게 영역별로 기능을 제시하였다. 또한 주제와 관련된 간단한 그림과 사진으로 보여 주어 학습자가 학습 목표를 이해하고 과에 흥미를 가질 수 있도록 하였다.

준비하기 1, 2: 준비하기는 1과 2의 두 부분이 있으며, 이것은 다시 대화와 문법, 연습하기로 나뉜다. 준비하기를 통하여 각 과에 주어진 과제를 수행하기 위해 필요한 어휘와 문법 및 표현을 익힐 수 있도록 구성하였다.

대화에서는 주제와 관련된 상황을 대화로 구성하여 상황에 맞는 기능을 동시에 학습할 수 있도록 하였다. 등장인물의 실제 사진을 제시하여 현실성을 높이고 학습자의 흥미를 유발하는 데에 도움이 되도록 하였다.

문법은 대화로 구성하여 문법이 사용된 상황을 잘 이해할 수 있도록 하였다. 의미뿐만 아니라 형태 연습에도 무리가 없도록 다양한 예문을 제시하였다.

연습하기는 문법을 익히는 단계이다. 두 사람의 대화 상황으로 제시하였으며 학습자는 연습을 통해 오류를 수정하고 문법을 정확하게 익힐 수 있다.

듣기: 강의, 사연, 대담 등의 다양한 듣기 상황을 제시하였으며 문제를 함께 달아 학습자가 대화를 듣고 이해하였는지 확인할 수 있도록 하였다.

말하기: 듣기와 말하기를 연계하여 듣고 이해한 것을 학습자가 자신의 언어로 표현할 수 있도록 구성하였다. 앞에서 배운 표현들을 사용하여 말할 수 있도록 듣기와 비슷한 상황을 제시하였다. 각 과마다 예시를 주어 학습자들이 말하는 연습을 하는 데에 도움이 될 수 있도록 하였다.

읽기: 수필, 주장하는 글, 기사 등 다양한 형식의 읽을거리를 제시하여 독해 연습이 가능하도록 하였으며 문제를 함께 달아 학습자가 글을 읽고 이해하는 능력을 향상시킬 수 있도록 하였다.

쓰기: 읽기와 쓰기를 연계하여 주어진 과제를 이해하고 표현할 수 있도록 하였다. 앞에서 배운 표현들을 사용하여 쓸 수 있도록 읽기와 비슷한 상황을 제시하였다. 본격적인 쓰기를 하기 전에 관련된 질문과 개요를 제시하여 글의 구성을 좀 더 쉽게 파악할 수 있도록 하였다.

문화 이해하기: 각 과의 주제에서 심화된 내용을 바탕으로 주제와 관계가 있는 전통 문화와 현대 문화를 광범위하게 다루어 한국 문화에 대한 이해를 돕는 동시에 읽기 능력도 향상시킬 수 있도록 하였다.

부록: 부록에는 듣기 지문과 어휘 색인을 넣어 학습자가 참고할 수 있도록 하였다. 어휘 색인은 학습자들이 찾기 쉽도록 가나다순으로 정리했다.

교재 구성표

4급	단원	준비하기1	문법	준비하기 2
1과	**유학**	축제 관련 정보 전달하기	• AV–(으)ㄴ/는 김에 • AV–아/어/여 버리다	유학 준비에 대해 조언하기
2과	**대인관계**	심정 토로하기	• AV–고 말다 • V_1–(으)나 V_2–(으)나	인간관계에 대해 조언하기
3과	**봉사**	소식을 듣고 의견 제공하기	• AV–느니[1] • V–(으)ㄴ/는가 하면, N(이)ㄴ가 하면	설득하기
4과	**건강**	친구의 건강 상태 걱정하기	• AV–는 둥 마는 둥 • AV–기 십상이다, N(이)기 십상이다	알레르기에 대한 정보 전달하기
5과	**여가**	여가 활동 소개하기	• V–(ㄴ/는)다기에, N(이)라기에 • V–다가도	대학생들의 여가 문화 정보 제공하기
6과	**연애와 결혼**	변명하기	• V–(으)ㄴ/는 탓, N인 탓 • N더러/보고	소식 전달하기
7과	**문화차이**	감정 표현하기	• AV–느니[2], DV–(으)니, N(이)니 • V–(으)ㄴ/는 법이다, N(이)ㄴ 법이다	문화차이 설명하기
8과	**진로**	진로에 대해 걱정하기	• N치고(서) • V–(ㄴ/는)다면, N(이)라면	진로 상담하기
9과	**사회와 갈등**	설득하기	• V–기 마련이다 • V–지, N(이)지	불만 표현하기
10과	**언론**	정보 구하기	• V–(으)ㄴ/는 것이야말로, N(이)야말로 • V–더라도, N(이)더라도	소식 전달하기
11과	**환경**	환경보호 권유하기	• V–(으)ㄴ/는/(으)ㄹ 듯하다, N(이)ㄴ 듯하다 • AV–아/어/여 내다	조언하기
12과	**말과 글**	조언하기	• V–(으)ㄹ 따름이다, N일 따름이다 • N(으)로서	전망하기

문법	듣기	말하기	읽기	쓰기	문화 이해하기
• V-고도 • AV-(으)ㄴ 끝에, N 끝에	조기 유학에 대한 대담 듣기	조기 유학에 대하여 토론하기	유학생활 경험담 읽기	유학생활 경험 쓰기	기러기 아빠
• V-(으)ㄹ 테니(까) • AV-는 한	고민 관련 라디오 사연 듣기	권유하기	제안하는 글 읽기	제안하기	한국인의 정
• V기는커녕, N은/는커녕 • V-(으)ㄹ 리가 없다, N일 리가 없다	재능기부에 대한 강연 듣기	계획 말하기	사례 소개하기	봉사활동 경험 쓰기	기부문화 비교하기
• V-길래, N(이)길래 • N(이)나마	단 음식을 건강하게 먹는 방법 제안하기	건강하게 생활하는 방법 소개하기	우울증 극복 방법 제안하기	불면증 해결 방법에 대해 조언하기	한국인의 보양식
• AV-(으)ㄹ 법하다 • V-(으)ㄹ뿐더러	소개 및 추천하기	권유하고 설득하기	여가 활동의 종류 알아보기	추천하는 글쓰기	조상들의 여가 생활
• N(이)야 • 여간 V-지 않다, 여간 N이/가 아니다	라디오 사연 듣기	그림 보고 이야기 만들기	새로운 사회 현상에 대해 분석하기	결혼에 대한 견해 쓰기	한국의 전래동화
• AV-고서 • V-(으)ㄹ지도 모르다, N(이)ㄹ지도 모르다	문화차이로 인한 조언 구하기	문화차이에 대해 조언하기	문화차이에 대해 주장하는 글 읽기	문화차이 비교하기	동서양에 따른 문화와 사고의 차이
• V-(으)ㄴ/는/(으)ㄹ 모양이다, N인 모양이다 • V-거든	취업 캠프 관련 정보 전달하기	특정 정보 묻고 답하기	외국인 유학생의 국내 취업 관련 신문기사 읽기	진로 계획하기	이색 면접
• (아무리) V-(으)ㄹ지라도, N일지라도 • (아무리) V-(으)ㄴ들, N인들	문제를 분석하고 해결 방법 모색하기	해결방법 찾기	주장하기	해결 방법 쓰기	한국 소비자원 피해 구제 사례
• V-(으)ㄴ/는데도 (불구하고), N인데도 (불구하고) • AV-고자, N이고자	사건 사고에 관한 뉴스 듣기	자연재해의 피해를 줄이는 방법 토의하기	신문의 역할에 관한 신문 사설 읽기	문제점에 대해 주장하는 글쓰기	신문의 가치
• V-(으)ㄴ/는/(으)ㄹ 듯이, N(이)ㄴ 듯이 • AV-(으)ㄹ락 말락 하다	수질 오염을 줄이는 방법 듣기	환경보호 방법 제안하기	포스터 내용 이해하기	환경보호 포스터 만들기	비무장지대
• V기는 V-(으)ㄴ/는데, N(이)기는 N(이)ㄴ데 • V-아/어/여 봤자	언어와 문자에 대한 강연 듣기	한국어와 모국어 대조하기	수필 읽기	자신의 경험을 서술하는 글쓰기	고사성어의 유래

주요 인물

리우 메이
중국 사람, 언어교육원생

자르갈
몽골 사람, 언어교육원생

아멜리
프랑스 사람, 언어교육원생

파하드
사우디 사람, 언어교육원생

오위노
케냐 사람, 대학원생

흐엉
베트남 사람, 대학생

로빈
영국 사람, 영어 강사

최수지
한국 사람, 대학생

박지성
한국 사람, 대학생

노민우
한국 사람, 언어교육원 교사

차례

제1과 유학

준비하기 1
축제 관련 정보 전달하기
AV-(으)ㄴ/는 김에
AV-아/어/여 버리다

준비하기 2
유학 준비에 대해 조언하기
V-고도
AV-(으)ㄴ 끝에, N 끝에

듣기
조기 유학에 대한 대담 듣기

말하기
조기 유학에 대하여 토론하기

읽기
유학생활 경험담 읽기

쓰기
유학생활 경험 쓰기

문화 이해하기
기러기 아빠

인하대학교
인하대학교

1 유학

준비하기1 401

축제 관련 정보 전달하기

- 공고문
- 자국
- 기업
- 박람회
- 이왕이면
- 이력서
- 입사

자르갈: 아멜리 씨, 게시판의 공고문 봤어요?

아멜리: 무슨 공고문이요? 혹시 학교에서 열리는 유학생 대축제를 이야기하는 건가요?

자르갈: 벌써 봤나 보네요. 네, 맞아요. 유학생 대축제요. 그러면 축제 때 어떤 행사가 있는지도 잘 알겠네요.

아멜리: 자세히 보지는 않아서 잘 모르겠어요. 언제 한다고 하던가요?

자르갈: 다음 주 목요일과 금요일, 이틀 동안 한다고 하던데요. 첫째 날은 유학생들이 자국의 음식을 만들어서 소개도 하고 팔기도 한대요.

아멜리: 여러 나라의 음식도 먹어 보고 재미있는 구경도 하겠네요. 설레는데요?

자르갈: 그렇죠? 둘째 날 오전에는 유학생들이 각 나라의 전통 옷을 입고 춤을 추거나 노래도 한다고 해요. 그리고 저녁에는 K-POP 공연이 있대요.

아멜리: 한국의 유명한 가수들이 오겠죠?

자르갈: 그럼요. 축제 기간 동안 한국의 많은 기업들이 참가해서 취업 박람회도 한다고 하더라고요. 어떤 기업이 올지 모르겠지만 이왕이면 한국어를 공부하는 김에 한국 기업에 취업하면 좋을 거 같아요. 그래서 미리 이력서와 자기소개서를 준비해서 입사 지원해 볼까 해요. 이렇게 좋은 기회를 놓쳐 버리면 아쉽잖아요. 잘 안 된다고 해도 좋은 경험이 될 거예요.

아멜리: 그렇군요. 요즘 정신이 없어서 공고문을 꼼꼼하게 볼 시간이 없었는데……. 자르갈 씨 덕분에 좋은 걸 알게 됐네요. 저도 다시 확인해 보고 다른 정보를 찾게 되면 알려 줄게요.

표현 1. AV -(으)ㄹ까 하다 / 생각 중이다

1) 이제부터 발표 준비를 시작할까 해요.
2) 그 문제를 어떻게 해결할까 생각 중입니다.

1. AV-(으)ㄴ/는 김에

: 어떤 행동을 하면서 그 기회에 예정에 없던 다른 행동을 하게 될 때 사용한다.

1) 가: 도서관에 가나 봐요.
나: 네, 책을 반납하러 가는 김에 공부도 좀 하려고요.
2) 가: 창문을 닦는 김에 창틀도 닦아 주세요.
나: 네, 알겠습니다.
3) 가: 무슨 이런 선물을 다 사 왔어요?
나: 어제 백화점에서 제 거 산 김에 생각나서 같이 샀어요.
4) 가: 어제 서울에 갔다 왔어요?
나: 네, 서울에 간 김에 국립중앙박물관에도 들렀어요.
5) 가: 병이 나은 김에 건강관리도 좀 해야겠어요.
나: 이번에는 아무리 운동이 싫어도 인내심을 갖고 꾸준히 하세요.

• 창틀
• 인내심

2. AV-아/어/여 버리다

: 어떤 행동을 끝내서 아무것도 남지 않았거나 아쉬움이 남게 되었을 때 사용한다.

1) 가: 얼굴이 부었네요.
나: 아프던 사랑니를 뽑아 버렸거든요. 그래서 그런가 봐요.
2) 가: 제가 다른 사람 때문에 계속 오해를 받아서 속상해요.
나: 차라리 사실을 말해 버리세요.
3) 가: 유학을 간다더니 아직 안 갔네요.
나: 갈까 말까 고민하다가 때를 놓쳐 버렸어요.
4) 가: 아직도 저녁을 안 먹었어요?
나: 집에 갔더니 동생이 남은 음식을 다 먹어 버렸어요. 그래서 못 먹었어요.
5) 가: 지갑에 돈이 하나도 없어요?
나: 친구가 급하게 돈이 필요하다고 해서 있는 돈을 다 줘 버렸어요.

• 사랑니

연습하기

1. 다음과 같이 이야기해 보십시오.

- 털어놓다
- 구석구석

그 영화 안 보다 / 보다
시내에서 쇼핑을 하다 / 영화를 보다

가: 그 영화 안 본**다더니 봤어요?**
나: **네,** 시내에서 쇼핑을 한 **김에** 영화**도 봤어요.**

1) 이불을 세탁소에 맡기다 / 직접 빨다
   옷을 빨다 / 이불 빨래를 하다
2) 그 일은 비밀이다 / 친구에게 말하다
   조언을 얻고 싶어서 친구를 만나다 / 고민을 털어놓다
3) 주말에 쉬다 / 파티를 하다
   고향 음식을 만들다 / 파티를 하다
4) 항상 집이 더럽다 / 청소하다
   여름이어서 땀이 나다 / 집안을 구석구석 청소하다
5) 부산으로 출장가다 / 친구를 만나다
   출장가다 / 거기에 사는 친구를 만나다

2. 다음과 같이 이야기해 보십시오.

- 훌쩍거리다
- 홀가분하다
- 폭로하다

날씨가 너무 추워서 감기에 걸리다
계속 훌쩍거리다

가: 날씨가 너무 추워서 감기에 걸려 **버렸어요.**
나: **그래서** 계속 훌쩍거리**는군요.**

1) 우리 집에서 같이 살던 친구가 이사를 가다
   아쉬워하다
2) 어젯밤을 새워 그 일을 끝내다
   홀가분해 보이다
3) 친구가 내 비밀을 다른 사람에게 말하다
   당황하고 있다
4) 어제 그 사건의 진실을 폭로하다
   사람들이 그 얘기만 하다
5) 참으려고 했지만 결국 울다
   마음이 후련해졌겠다

준비하기2 402

유학 준비에 대해 조언하기

- 곁
- 하늘의 별 따기
- 안목
- 유학원

메 이: 지성 씨, 여기에서 뭐해요?

박지성: 요즘 고민이 생겨서 생각 좀 하고 있어요.

메 이: 그래요? 어떤 고민인데요?

박지성: 유학을 가고 싶은데 막상 준비하려니까 뭐부터 해야 할지 잘 모르겠어요.

메 이: 예전에는 유학 갈 생각이 별로 없다고 들었던 것 같은데 갑자기 그런 생각이 든 이유라도 있어요?

박지성: 한국에 유학 온 친구들을 곁에서 지켜보니까 유학생활을 하면서 많이 발전하는 게 보였어요. 한국어 실력도 향상되고 한국에 대한 이해도 깊어지더라고요. 그리고 신문에서 요즘 대학교를 졸업하고도 취업하기가 '하늘의 별 따기'라는 기사를 많이 봤거든요. 좋은 회사에 취직하기 위해서는 실력도 쌓고 안목도 넓혀야겠다는 생각이 들어서요. 그래서 고민한 끝에 유학을 결심했어요.

메 이: 그러면 유학원에서 상담을 받아보는 게 어떨까요? 저도 중국 유학원에서 상담을 받고 한국에 왔어요. 그곳에서 상담을 하다 보니 내가 무엇이 필요한지, 어떤 것을 준비하면 도움이 되는지를 친절하게 알려 주더라고요. 직접 가서 문의하는 게 가장 좋지만 바쁘면 아쉬운 대로 온라인 상담도 있으니까 인터넷으로 알아보셔도 되고요.

박지성: 알겠어요. 일단 학교 근처에 전문적으로 유학 상담을 해주는 데가 있는지 찾아봐야겠네요.

3. V-고도

: 앞의 사실이나 느낌에 서로 반대되거나 또 다른 특성이 이어짐을 나타낸다.

1) 가: 여기까지 오시고도 연락을 안 하셨다니 섭섭하네요.
   나: 미안해요. 이번에는 정말 바빴어요. 다음에는 꼭 연락할게요.
2) 가: 잠을 자고도 계속 피곤해하면 어떻게 해요?
   나: 감기약을 먹어서 그래요. 오늘만 좀 쉴게요.
3) 가: 이 영화는 슬프고도 아름다운 이야기인 것 같아.
   나: 그래서 나도 많이 울었어.
4) 가: 이 옷은 단정하고도 예뻐 보여서 아멜리 씨에게 잘 어울리겠어요.
   나: 그래요? 그럼 한번 입어 볼까요?
5) 가: ______________________________
   나: 계속 먹어도 배가 고파요.

- 쏙
- 기술
- 수차례
- 시도하다
- 무명
- 고생 끝에 낙이 온다
- 놀림

4. AV-(으)ㄴ 끝에, N 끝에

: 오랜 시간 힘을 써서 노력한 결과 뒤의 상황이 나타날 때 사용한다.

1) 가: 드디어 원하는 노트북을 샀다면서요.
   나: 네, 여기저기 돌아다닌 끝에 제 마음에 쏙 드는 것을 발견했어요.
2) 가: 축하합니다. 그동안 다른 선수들은 생각조차 하지 못한 기술을 성공하셨네요.
   나: 감사합니다. 저도 수차례 시도한 끝에 해내서 기쁩니다.
3) 가: 파하드 씨, 한국어능력시험에 합격했다면서요.
   나: 네, 열심히 공부한 끝에 시험에 붙어서 기분이 날아갈 것 같아요.
4) 가: 그동안 망설인 끝에 수지 씨에게 좋아한다고 고백했어요.
   나: 그래서 수지 씨가 뭐래요? 사귀재요?
5) 가: 그 가수가 11년 동안 무명으로 있다가 이번 노래로 유명해졌대요.
   나: 고생 끝에 낙이 온다더니 그 가수를 두고 하는 말이군요.

✓ AV-던 끝에

가 : 로빈 씨가 화를 냈다면서요.

나 : 네, 자르갈 씨의 놀림을 참던 끝에 화를 냈다고 하더라고요.

연습하기

1. 다음과 같이 이야기해 보십시오.

어제 밤새도록 놀다
한동안 시간이 없어서 못 놀았더니 계속 놀다

가: 어제 밤새도록 놀**고도 또** 놀아요?
나: 한동안 시간이 없어서 못 놀았더니 계속 놀고 싶**거든요.**

• 무궁무진하다
• 애인

1) 일주일 동안 10권의 책을 읽다
 재미있는 책이 무궁무진해서 자꾸 읽게 되다
2) 그렇게 지각을 하다
 저도 늦게 일어나는 습관을 바꾸고 싶은데 잘 안되다
3) 3시간이나 쇼핑하다
 회사 일로 스트레스를 받았더니 계속 쇼핑하고 싶다
4) 한 시간 전에 애인을 만나다
 얼굴을 보지 않으면 그리워서 또 만나고 싶다
5) 화장실에 그렇게 많이 가다
 어제 먹은 음식이 상했는지 배가 아파서 계속 가고 싶다

2. 다음과 같이 이야기해 보십시오.

그 회사에 출근하기로 하다
며칠 동안 고민하다 / 나가기로 하다

가: 그 회사에 출근하기로 **했다면서요?**
나: **네.** 며칠 동안 고민한 **끝에** 나가기로 **했어요.**

• 수소문하다
• 프레젠테이션

1) 잃어버렸다던 아이를 찾다
 오랫동안 수소문하다 / 찾아내다
2) 성공하기 힘들 것 같다더니 작품을 완성하다
 여러 번 실패하다 / 드디어 성공하다
3) 그 식당 앞에 줄이 항상 길다
 그래서 어제는 한 시간 이상을 기다리다 / 먹을 수 있다
4) 인하대학교에 지원하다
 선생님과 상담하다 / 입학 원서를 쓰기로 결심하다
5) 어제 발표한 프레젠테이션에 대한 결과가 나오다
 장시간의 회의 / 진행하기로 하다

듣기 403

• 조기
• 비롯하다
• 대도시
• 거세지다
• 이러하다
• 원어민
• 습득하다
• 능숙하다
• 구사하다
• 뇌
• 학자
• 또래
• 희생
• 투자하다
• 정서적
• 사리
• 분명하다
• 독립적
• 연령
• 우호적
• 중립적
• 접하다
• 고려하다

※ 다음을 잘 듣고 물음에 답해 보십시오.

1. 무엇에 대한 내용인지 고르십시오.

① 유학의 적절한 연령　　② 조기 유학의 장점
③ 부모님의 자식 사랑　　④ 외국어 실력의 향상 방법

2. 교수의 태도로 알맞은 것을 고르십시오.

① 우호적　　② 비판적　　③ 중립적　　④ 감상적

3. 들은 내용으로 알맞지 <u>않은</u> 것을 고르십시오.

① 요즘 조기 유학의 인기가 시들어가고 있다.
② 조기 유학을 하면 그 나라의 문화를 쉽게 접할 수 있다.
③ 조기 유학은 쉽게 판단할 수 있는 문제가 아니다.
④ 외국어를 배울 때에는 성장과정을 고려해야 한다.

표현

1. 제 생각에는 V-(ㄴ/는)다고 봅니다.

1) 제 생각에는 한국 드라마 시청이 한국어 공부에 도움이 된다고 봅니다.
2) 제 생각에는 수업 시간에는 휴대전화를 사용하지 않는 것이 좋다고 봅니다.

2. N에 따르면 V-(ㄴ/는)다고 합니다.

1) 의사에 따르면 음식을 적게 먹는 것이 건강에 좋다고 합니다.
2) 반장에 따르면 이번 문화수업은 민속촌으로 간다고 합니다.

3. V-(ㄴ/는)다는 점은 저도 인정합니다. 하지만-

1) 한국 드라마 시청이 한국어 공부에 도움이 된다는 점은 저도 인정합니다. 하지만 드라마로 인하여 실제로 공부하는 시간이 줄어들 수 있다는 단점도 있습니다.
2) 수업시간에 휴대전화가 필요하다는 점은 저도 인정합니다. 하지만 수업시간에 단어를 찾다 보면 선생님의 설명을 들을 수 없다는 단점이 있습니다.

말하기

조기 유학에 대하여 토론하기

※ 조기 유학에 대해 이야기해 보십시오.

- 반론
- 반박

1. 조기 유학의 필요성에 대해 생각해 보십시오.

1) 부모님들이 자식들을 조기 유학 보내는 이유는 무엇이라고 생각합니까?
2) 조기 유학이 필요하다고 생각합니까?
3) 그 이유는 무엇입니까?

2. 팀을 정하여 의견을 이야기해 보십시오.

찬성 / 반대	찬성 (　　　) / 반대 (　　　)
찬성 / 반대하는 이유	• • •
예상 반론	• • •
반론에 대한 반박	• • •

3. 위의 내용을 바탕으로 듣기 내용과 같이 이야기해 보십시오.

읽기

※ 다음을 읽고 물음에 답해 보십시오.

- 손맛
- 뒤로하다
- 무릅쓰다
- 허기
- 채우다
- 소스
- 말투
- 따라잡다
- 영원히

잊지 못할 아주머니의 손맛

내가 한국에 가장 오고 싶었던 이유는 한국의 풍경이 아주 아름다웠기 때문이다. 영화와 드라마 속의 한국은 예쁜 나라, 멋있는 남자와 예쁜 여자가 많은 나라였다. 그래서 부모님의 반대를 뒤로하고 한국에 왔다. 하지만 공항에 처음 도착했을 때 너무 실망했다. 영화와 드라마에서 본 멋진 남자, 예쁜 여자, 아름다운 풍경을 찾을 수가 없었던 것이다. 부모님의 반대를 무릅쓰고 한국에 온 것을 후회하는 마음이 들어서 유학을 포기해 버리고 다시 고향으로 돌아갈 생각도 했다. 하지만 한국에 온 김에 한국어라도 열심히 공부해야겠다는 마음으로 짐을 풀었다.

내가 처음 한국에 오던 날은 비가 오고 있었다. 늦은 밤, 배가 너무 고팠던 나는 허기를 채우러 밖으로 나갔다. 시간이 너무 늦어서인지 비가 너무 많이 와서 그런지 문이 열려 있는 가게가 없었다. 실망한 가운데 집에 가는 길에 떡볶이 집을 발견했다. 하지만 떡볶이를 먹어 본 적이 없어서 망설여졌다. 잠깐 고민하던 끝에 배고픔이라도 채우겠다는 생각으로 떡볶이를 주문해서 먹었지만 예상대로 너무 매웠다. 물을 계속 마시는 나를 보시던 아주머니는 갑자기 나에게 샐러드를 만들어 주시고는 무료로 주는 거라며 먹으라고 하셨다. 정말 맛있어서 소스까지 다 먹어 버렸다. 아주머니께서 친절한 말투로 이것저것 물으시더니 내가 매운 음식은 잘 먹지 못하는 걸 아셨다. 그래서 밥 먹으러 올 때마다 샐러드를 만들어 주시겠다고 하셨다. 나는 아주머니께서 농담으로 하신 말씀인 줄 알았는데 그날 이후로 식당에 갈 때마다 아주머니께서는 한 번도 빼놓지 않고 샐러드를 준비해 주셨다.

지금은 열심히 공부해서 받은 장학금으로 직접 야채를 사서 샐러드를 만들어 먹지만 '아주머니의 손맛'을 따라잡을 수 없다. 아주머니의 샐러드에는 아주머니의 진심과 사랑이 담겨서 그런 것 같다. 아주머니의 그 샐러드는 영원히 잊지 못할 아름답고 따뜻한 추억이 될 것이다.

1. 이 글을 쓰게 된 목적이 무엇인지 고르십시오.

① 한국과 고향의 음식을 비교하려고
② 한국에서 유학하는 방법을 설명하려고
③ 한국에서 본 경치의 아름다움을 묘사하려고
④ 한국에서 유학하면서 느낀 점을 이야기하려고

- 묘사하다
- 자랑스럽다
- 정성

2. 밑줄 친 부분에 나타난 글쓴이의 심정으로 알맞은 것을 고르십시오.

① 다행스럽다　　② 자랑스럽다
③ 당황스럽다　　④ 고민스럽다

3. 이 글의 내용과 <u>다른</u> 것을 고르십시오.

① 막상 한국에 와 보니 나의 예상과 달라서 실망스러웠다.
② 나는 너무 배가 고파서 처음 먹는 떡볶이도 맛있게 느꼈다.
③ 아주머니의 샐러드는 정성 때문에 더 맛이 있다고 생각한다.
④ 아주머니께서는 내가 음식점에 갈 때마다 샐러드를 만들어 주셨다.

표현 1. N을/를 무릅쓰다

1) 아버지는 추위를 무릅쓰고 밖에 나가셨다.
2) 그들은 주위의 반대를 무릅쓰고 결혼을 했다.

쓰기

※ 유학생활에 대해 글을 써 보십시오.

1. 나의 유학생활에 대해 생각해 보십시오.

1) 한국에 오기로 결심한 이유가 무엇입니까?
2) 한국의 첫 느낌은 어땠습니까?
3) 본인이 가지고 있는 독특한 경험은 무엇입니까?
4) 그 일을 겪고 어떤 생각을 했습니까?

2. 생각한 내용을 바탕으로 개요를 완성해 보십시오.

처음	• (유학을 결정한 이유) • (한국의 첫 느낌)
중간	• (독특한 경험) •
끝	• (일을 겪고 난 후의 생각)

3. 개요를 바탕으로 글을 써 보십시오.

문화 이해하기

"나는 기러기 아빠다. 집에서 혼자 살다 보니 많이 외롭더라. 잔소리를 좋아할 사람은 당연히 없지만 떨어져 살다 보니까 마누라 잔소리도 그립다. 사실 잠을 못 이룬다. 옆에 집사람하고 딸내미 있으면 믿고 자는데 혼자 사니까 하루에 2~3시간밖에 못 잔다."

어느 방송인이 텔레비전 프로그램에서 한 말이다. 조기 유학 열풍으로 기러기 아빠가 증가하고 있다고 한다. 기러기 아빠 수의 증가는 사회 문제가 되고 있다. 해외에 가족들을 보내놓고 혼자 생활하는 기러기 아빠는 고질적인 우울증을 겪고 있으며 가족과 떨어져 지내기 때문에 항상 아내와 자녀를 그리워한다. 또한 혼자 살면서 돈만 보내는 상황을 힘들어한다. 가족 안에서는 자신의 존재감을 느끼지 못하게 되어 이혼을 결심하기도 한다.

'가화만사성(家和萬事成)'은 집안이 화목하면 모든 일이 잘 이루어진다는 것을 뜻하는 한자 성어이다. 가정이 흔들리면 나라도 흔들리게 된다. 가족은 함께 살아야 한다. 그리고 서로가 모든 것을 나누면서 살아야 한다. '눈에서 멀어지면 마음에서 멀어진다.'라는 말이 있다. 함께 살면서 서로에게 자신의 존재를 확인시키며 살아가는 것. 이것이 진정한 가족일 것이다.

- 기러기
- 잔소리
- 마누라
- 딸내미
- 방송인
- 열풍
- 고질적
- 이혼
- 가화만사성
- 화목하다
- 뜻하다
- 한자
- 성어
- 존재

※ 이야기해 보십시오.

1. '기러기 아빠'라는 말을 들어본 적이 있습니까?

2. 여러분 나라에도 '기러기 아빠'가 있습니까?

3. 여러분은 한국의 '기러기 아빠'의 선택이 옳다고 생각하십니까? 그 이유는 무엇입니까?

제2과 대인관계

준비하기 1
심정 토로하기
AV-고 말다
V_1-(으)나 V_2-(으)나

준비하기 2
인간관계에 대해 조언하기
V-(으)ㄹ 테니(까)
AV-는 한

듣기
고민 관련 라디오 사연 듣기

말하기
권유하기

읽기
제안하는 글 읽기

쓰기
제안하기

문화 이해하기
한국인의 정

2 대인관계

준비하기1 404

심정 토로하기

- 하루아침
- 어지르다
- 말대꾸

메 이: 아침부터 왜 그렇게 표정이 안 좋아요? 무슨 일 있었어요?

파하드: 기숙사 룸메이트랑 싸우고 나왔거든요. 그동안 기분이 나빠도 계속 참아 왔는데 아침에는 결국 화를 내고 말았어요.

메 이: 무슨 일로 아침부터 싸우기까지 했어요? 룸메이트가 무슨 잘못이라도 했어요?

파하드: 저는 일찍 자고 일찍 일어나는 편인데 그 친구는 밤에 공부가 더 잘 된다면서 밤늦게까지 불을 켜 놓고 계속 움직이니까 제가 자는 데 방해가 돼서요.

메 이: 그런 부분들에 대해서 친구에게 이야기는 해 봤어요?

파하드: 당연히 이야기를 했죠. 자는 데 방해가 되니까 12시 이전에는 자면 안 되겠냐고 부탁을 했는데 말을 하나 마나예요. 늦게 자는 게 습관이 돼서 일찍 누워도 잠이 안 온대요.

메 이: 습관을 하루아침에 바꾸기란 쉽지 않은 일이지요.

파하드: 게다가 책상도 얼마나 어질러 놓는지 몰라요. 책을 책상 위에 쌓아 놓고 정리를 하지 않아서 방 안이 너무 지저분해 보여요.

메 이: 나와는 성격이 맞지 않는 사람과 한방에서 같이 지낸다는 게 원래 쉽지 않은 일이에요.

파하드: 그러게요. 오늘 아침에는 더 이상 참을 수가 없어서 한마디 했는데 그 친구도 기분이 나빴는지 말대꾸를 하더라고요. 그래서 결국 싸우게 됐어요. 계속 그 친구와 한방에서 이렇게 지내야 하는 걸까요? 성격이 맞지 않는 사람과 관계를 유지해야 할 때는 어떻게 해야 하는 걸까요?

표현

1. AV–기란 –이다, –ㄴ/는다
   = AV–ㄴ/는 다는 것은 –ㄴ/는 것이다/ 말이다/의미이다

1) 계획한 대로 살기란 생각보다 어려운 일이다.

2) 결혼을 한다는 것은 새로운 인생이 시작된다는 의미이다.

1. AV-고 말다

: 어떤 일이 의도하지 않은 상태에서 일어났거나 어떤 일을 아주 힘들게 이루어 냄을 나타내는 표현

1) 가: 옷에 얼룩이 묻었네요.
 나: 네, 커피를 들고 가다가 옷에 쏟고 말았어요.
2) 가: 오늘 기차 타고 부산에 간다고 하지 않았어요?
 나: 못 갔어요. 늑장을 부리다가 기차를 놓치고 말았거든요.
3) 가: 남자 친구랑 싸우다가 울었다고요?
 나: 네. 어떻게든 참으려고 했는데 결국 울어 버리고 말았어요.
4) 가: 1반하고 축구하면 항상 지던데 이제 경기는 어떻게 됐어요?
 나: 드디어 우리 반이 1반을 이기고 말았어요.
5) 가: 메이 씨가 이 일을 알면 화를 내고 말 거예요.
 나: 그럼 먼저 사실대로 이야기를 하고 사과를 하세요.

✓ AV-고 말겠다

가: 취업 준비를 정말 열심히 하시네요.
나: 네. 올해에는 꼭 취업을 하고 말겠어요.

- 얼룩
- 늑장

2. V_1-(으)나 V_2-(으)나

: 주로 서로 반대되는 동사를 함께 사용하여 비교의 뜻을 나타내며 어느 경우에도 뒤에 오는 결과나 행동이 똑같음을 나타낼 때 사용한다.

1) 가: 연휴 기간인데 아버지께서 출근을 하셨어요?
 나: 제 아버지께서는 가족들을 위해 비가 오나 눈이 오나 일터로 나가세요.
2) 가: 지성 씨는 지금 뭐 하고 있을까?
 나: 넌 자나 깨나 온통 지성 씨 생각뿐이구나.
3) 가: 가족은 아무리 싫어도 버릴 수 없는 것 같아요.
 나: 그럼요. 미우나 고우나 핏줄인데 어떻게 버릴 수가 있겠어요?
4) 가: 이 책 한번 읽어 볼까요?
 나: 그 책은 너무 어려워서 읽으나 마나 이해 못할 걸요.
5) 가: 룸메이트와 생활 습관이 달라서 불편한 점이 한두 가지가 아니에요.
 나: 불편하나 마나 한 학기 동안 함께 지내야 하니까 좀 참으세요.
6) 가: 오늘 비가 올지 안 올지 일기예보를 들어 볼까요?
 나: 일기예보를 들으나 마나 비가 올 거니까 우산을 꼭 가져가세요.

- 일터
- 온통
- 핏줄

연습하기

1. 다음과 같이 이야기해 보십시오.

그동안 가족이 많이 그립다
어제는 가족사진을 보다가 울다
가: 그동안 가족이 많이 그리웠**어요?**
나: **네,** 어제는 가족사진을 보다가 울**고 말았어요.**

1) 감기에 걸리다
조심했지만 감기에 걸리다
2) 시험공부를 많이 못하다
시험공부를 하려고 앉았는데 잠이 들다
3) 어머니 생신을 잊어버리다
출장을 다녀오느라 어머니 생신을 잊어버리다

2. 다음과 같이 이야기해 보십시오.

장학금을 놓쳐서 아쉽다
다음 학기에는 꼭 장학금을 받다
가: 장학금을 놓쳐서 아쉽**지요?**
나: **예,** 다음 학기에는 꼭 장학금을 받**고 말겠어요.**

1) 올해 결혼 계획이 있다
올해 안으로 결혼을 하다
2) 이번 학기 목표가 대학교 합격이다
이번 학기에는 대학교에 합격하다
3) 이번 테니스 시합에서 로빈 씨를 이기지 못했다
다음 시합에서는 로빈 씨를 이기다

3. 다음과 같이 이야기해 보십시오.

부모님께서 제 걱정을 너무 많이 하시다
원래 부모는 앉다 / 서다 / 자식 걱정뿐이다

가: 부모님께서 제 걱정을 너무 많이 하**세요.**
나: 원래 부모는 앉**으나** 서**나** 자식 걱정뿐**이에요.**

1) 우리는 목표를 이룰 때까지 한마음으로 함께 가야 하다
죽다 / 살다 / 우리는 한 배를 탄 사람들이다
2) 아직도 감기가 안 나았나 보다
네, 약을 먹다 / 말다 / 소용이 없다
3) 그 사람을 설득할 수 있는 좋은 방법을 찾을 수가 없다
그 사람은 고집이 너무 세서 말을 하다 / 말다 / 안 들을 것이다
4) 식기세척기를 선물로 받았는데 자주 사용하지 않다
그런 물건은 있다 / 말다 / 자리만 차지하겠다
5) 자르갈 씨한테 같이 갈 거냐고 물어 보다
묻다 / 말다 / 내가 가자고 하면 갈 것이다

- 한마음
- 한 배를 타다
- 소용
- 식기세척기

준비하기2 405

- 발이 넓다
- 인간관계
- 맺다
- 범위
- 마당발
- 발 벗고 나서다
- 사교성
- 소극적

흐 엉: 다음 주까지 한국 사람들을 만나서 베트남의 인상에 대해 인터뷰를 하고 보고서를 제출해야 하는데 제가 알고 지내는 사람들이 많지 않아서 어떻게 해야 할지 잘 모르겠어요.

파하드: 한국 사람들과 인터뷰요? 자르갈 씨가 발이 넓어서 한국 사람들을 많이 알고 있을 테니까 한번 부탁해 보세요.

흐 엉: 자르갈 씨가 발이 넓다고요? 그게 무슨 말이에요?

파하드: 인간관계를 잘 맺어서 아는 사람이 많고 활동 범위가 넓은 사람을 보고 '발이 넓다'라고 말해요. 또는 '마당발이다'라고도 하고요.

흐 엉: 아, 자르갈 씨가 대인관계가 좋군요. 어쩐지……. 자르갈 씨에게 곤란한 일이 생기면 도움을 주는 사람들이 늘 주변에 많더라고요.

파하드: 맞아요. 자르갈 씨 역시 다른 사람의 일에도 발 벗고 나설 만큼 사교성이 정말 좋아요.

흐 엉: 어떻게 하면 저도 대인관계가 넓어질까요? 저는 좀 소극적이고 부끄러움이 많은 편이어서 한국 사람들과 인터뷰를 하는 과제가 너무 부담스럽고 걱정이 많거든요. 주변에 아는 사람들도 별로 없고요.

파하드: 대인관계는 자신의 노력에 달려 있다고 생각해요. 흐엉 씨가 사람들과 적극적으로 관계를 맺지 않는 한 다른 사람들이 먼저 다가오지 않을 거예요. 진심으로 사람들에게 관심을 가지면 흐엉 씨를 좋아하는 사람들이 하나둘씩 생길 테니까 노력해 보세요.

3. V-(으)ㄹ 테니(까)

: 뒤의 내용에 대한 조건으로서 말하는 사람의 의지나 강한 추측을 나타낸다.

1) 가: 벌써 점심 먹을 시간이네요.
   나: 오늘 점심은 제가 살 테니까 맛있는 거 먹으러 갑시다.
2) 가: 저한테는 그 자료가 없는데 어떡하죠?
   나: 회의 시간에 꼭 필요할 테니까 제 거라도 복사해 놓으세요.
3) 가: 드디어 시험이 끝났어요.
   나: 시험 때문에 힘들었을 테니 오늘은 푹 쉬세요.
4) 가: 내일 문화 체험 가는데 뭘 신고 가지?
   나: 많이 걸을 테니까 편한 신발을 신고 가도록 해.
5) 가: 밤새 눈이 많이 내렸어요.
   나: 길이 미끄러울 테니 차를 두고 가야겠네요.

• 푹

4. AV-는 한

: 앞의 행동이 일어나는 범위, 한도 안에서 뒤의 일이 있을 때 사용한다.

1) 가: 위장병이 잘 낫지를 않네요.
   나: 계속 신경을 쓰는 한 위장병이 쉽게 낫지 않을 거예요.
2) 가: 요즘 밤마다 야식을 배달해서 먹었더니 배가 나왔어요.
   나: 밤마다 야식을 먹는 한 뱃살은 계속 늘어날 거예요.
3) 가: 영수증을 잃어버렸는데 환불이 가능할까요?
   나: 영수증을 가져오시지 않는 한 환불은 어렵습니다.
4) 가: 그 사람 실수는 그냥 모른 척하세요.
   나: 하지만 누구라도 그 사실을 아는 한 모른 척하기가 쉽지 않을 거예요.
5) 가: 이번에 맡은 업무에 많은 사람의 도움이 필요해요. 도와주실 수 있겠죠?
   나: 제 능력이 닿는 한 최선을 다해 돕겠습니다.

✓ 가능한 한

가: 가능한 한 약속을 지켜주세요.
나: 네. 노력해 보겠습니다.

• 위장병
• 야식
• 뱃살

연습하기

1. 다음과 같이 이야기해 보십시오.

• 화물칸

음식 준비를 어떻게 하다
밥을 짓다 / 반찬을 만들다
가: 음식 준비를 어떻게 **할까요?**
나: **제가** 밥을 지**을 테니까 파하드 씨는** 반찬을 만드**세요.**

1) 이따가 몇 시에 나가다
데리러 가다 / 집에서 기다리다
2) 이 큰 짐들은 어떻게 하다
화물칸에 싣다 / 작은 짐들을 챙기다
3) 누구에게 연락을 하다
아멜리 씨에게 전화를 걸다 / 메이 씨에게 연락하다

2. 다음과 같이 이야기해 보십시오.

• 통

오후에 손님이 오시다 / 회의실 좀 깨끗이 청소하다
가: 오후에 손님이 오**실 테니까** 회의실 좀 깨끗이 청소하세요.
나: **네. 알겠습니다.**

1) 오후 2시쯤 면접이 있다 / 늦지 않게 오다
2) 이해하기 어렵다 / 집중해서 잘 듣다
3) 내일 오전부터 물이 안 나오다 / 큰 통에 물 좀 받아 놓다

3. 다음과 같이 이야기해 보십시오.

이 일을 기한 내에 끝내다
팀원들이 협력하지 않다 / 기한 내에 일을 끝낼 수 없다
가: 이 일을 기한 내에 끝낼 **수 있을까요?**
나: 팀원들이 협력하지 않**는 한** 기한 내에 일을 끝낼 수 없**을 거예요.**

- 팀원
- 승진
- 이산가족

1) 그 일을 성공하다
포기하지 않다 / 그 일을 꼭 성공할 수 있다

2) 로빈 씨가 승진을 하다
직장에서 신뢰를 얻지 못하다 / 승진은 힘들다

3) 불면증을 치료하다
저녁마다 그렇게 커피를 마시다 / 불면증은 고칠 수 없다

4) 흐엉 씨가 이번 시험에 합격하다
계속 그렇게 놀다 / 합격은 힘들다

5) 그 사람은 이산가족을 만나다
건강하게 살아 있다 / 언젠가는 만날 수 있다

듣기 406

• 마냥
• 핑계
• 낯가림
• 질병
• 창피하다

※ 다음을 잘 듣고 물음에 답해 보십시오.

1. 이 남자의 고민은 무엇인지 고르십시오.

① 외모 ② 연애 ③ 인간관계 ④ 정서 불안

2. 들은 내용과 다른 것을 고르십시오.

① 이 사람은 자신의 성격에 대해서 고민을 하고 있다.
② 이 사람은 취업을 준비하고 있는 대학생이다.
③ 이 사람은 처음 만나는 사람에 대한 낯가림이 심하다.
④ 이 사람은 의사표현에 대한 자신감이 부족하다.

3. 남자가 친구들과 생선회를 먹으러 갔을 때 거짓말을 한 이유를 고르십시오.

① 생선회를 좋아하지 않아서
② 생선회를 먹으면 배탈이 나서
③ 생선 알레르기 질병이 창피해서
④ 친구들에게 피해를 주는 것 같아서

4. 이 남자의 사연에 대해 조언을 해 보십시오.

말하기

권유하기

※ 대화의 기술에 대해서 이야기해 보십시오.

• 충돌

1. 좋은 대화의 기술은 무엇인지 생각해 보십시오.

   1) 어떻게 하면 대화를 잘할 수 있습니까?

   2) 이러한 대화의 기술이 중요한 이유는 무엇입니까?

2. 다음 상황에 대해서 이야기해 보십시오.

상황 1

친구가 새 옷을 입고 왔는데 (혹은 헤어스타일을 바꿨는데) 어울리지 않는다.

상황 2

친구와 함께 쇼핑을 하는데 마음에 드는 물건이 서로 다르다.

상황 3

친구들과 여행 계획을 세우는데 의견 충돌이 계속 생긴다.
(장소, 비용, 음식, 교통수단 등의 의견 충돌)

상황 4

룸메이트와 생활 습관이 달라서 힘들다.
(자는 시간, 청소, 물건 정리, 취미 생활 등)

상황 5

친구가 열심히 만들었다면서 먹어 보라고 고향 음식을 줬는데 도저히 내 입맛에 맞지 않는다.

읽기

※ 다음을 읽고 물음에 답해 보십시오.

- 둘러보다
- 해답
- 일반적
- 웃는 낯에 침 못 뱉는다
- 눈빛
- 어리다
- 유쾌하다
- 고래
- 불쾌감
- 경청
- 끈
- 빈번하다
- 다시금
- 되짚다

세상에서 가장 어려운 일은 바로 사람의 마음을 얻는 일이라고 합니다. 하지만 주위를 둘러보면 사람의 마음을 쉽게 얻는 경우도 있습니다. 그 이유는 무엇일까요? 해답은 대화에 있습니다. 올바른 대화의 기술을 갖고 있는 한 사람의 마음을 사는 것은 그리 어렵지 않습니다.

일반적으로 대인관계가 좋은 사람들은 대화의 기술이 있습니다. 우선 그들은 상대방의 눈을 보고 항상 웃으면서 말합니다. "웃는 낯에 침 못 뱉는다"는 속담처럼 대화할 때 친근한 미소를 짓는다면 상대방도 나를 함부로 대할 수가 없을 것입니다. 또한 '눈은 마음의 창'이라는 말이 있듯이 눈빛을 통해 진심 어린 마음을 전달하고 상대방에게 집중하고 있다는 것을 보여 준다면 상대방으로부터 호감을 얻을 수 있을 것입니다.

두 번째로 이해하기 쉽게 말하고 긍정적인 표현을 자주 씁니다. 상대방이 이해하기 어려울 정도로 말을 어렵게 하면 오해가 생길 수 있으며 대화가 재미없고 지루하게 될 수도 있습니다. 또한 긍정적인 말은 상대방을 안심시키고 편안하게 만들기 때문에 대화가 즐겁고 유쾌합니다.

세 번째로 칭찬을 아끼지 않습니다. "칭찬은 고래도 춤추게 한다"는 말이 있습니다. 이처럼 칭찬은 상대방의 기분을 좋게 하여 호감을 살 수 있습니다. 한 가지 주의할 점은 칭찬을 할 때 진실한 마음으로 해야 상대방에게 잘 전달이 될 수 있다는 점입니다.

마지막으로 상대방의 말을 끝까지 듣고 중간에 끼어들지 말아야 합니다. 말을 하고 있는데 누군가 내 말에 끼어든다면 존중받지 못한다는 느낌이 들면서 불쾌감이 생길 수 있기 때문입니다. 하고 싶은 말이 있어도 끝까지 경청을 한 후 말을 해야 합니다.

대화가 중요한 이유는 사람과 사람의 마음을 이어주는 끈이기 때문입니다. 대화가 서툴러 오해가 발생하는 일이 빈번하다면 자신의 대화 방법에 대해서 다시금 되짚어 봐야 합니다. 상대방의 마음을 움직일 수 있는 대화를 오늘부터 시작해 보십시오.

1. 대화가 중요한 이유로 알맞은 것을 고르십시오.

① 칭찬을 듣기 위해서

② 사람의 마음을 얻기 위해서

③ 편안한 생활을 하기 위해서

④ 항상 웃음을 잃지 않기 위해서

- 유식하다
- 인용
- 대조
- 정의

2. 대인관계에서 성공할 수 있는 대화의 기술로 알맞은 것을 고르십시오.

① 상대방의 말을 중간에 자르지 않고 끝까지 듣는다.

② 유식한 말을 사용하여 똑똑한 사람처럼 보이게 한다.

③ 상대방이 기분 나빠할 수 있으므로 눈을 똑바로 보지 않는다.

④ 거짓말이라도 끊임없는 칭찬으로 상대방의 기분을 좋게 한다.

3. 이 글에서 사용된 서술 방식을 고르십시오.

① 인용 ② 비교 ③ 대조 ④ 정의

쓰기

• 원만하다

※ 대인관계에 대한 글을 써 보십시오.

1. 원만한 대인관계를 만드는 방법에 대해 생각해 보십시오.

   1) 어떻게 하면 좋은 인상을 만들 수 있습니까?
   2) 성공적인 대화를 위한 대화의 기술에는 어떤 것이 있습니까?

2. 생각한 내용을 바탕으로 개요를 완성해 보십시오.

처음	
중간	• (좋은 인상을 만드는 방법) – – • (성공적인 대화를 위한 대화의 기술) – –
끝	

3. 개요를 바탕으로 글을 써 보십시오.

문화 이해하기

오지랖이 넓다

한국에서는 "오지랖이 넓다"는 말이 있다. '오지랖'은 윗도리에 입는 겉옷의 앞자락을 말하는데 이 오지랖을 넓게 하여 몸이나 다른 옷을 넓게 겹으로 감쌀 수 있다. 그래서 원래 오지랖이 넓다는 말은 가슴이 넓다는 말이며 남을 배려하고 감싸는 마음의 폭이 넓다는 것을 뜻한다. 그렇게 본다면 오지랖이 넓은 것은 미덕인 것이나 나름없다.

그런데 요즘은 이 말이 그다지 좋은 의미로 사용되고 있지는 않다. 이 오지랖은 지나치게 넓을 필요가 없기 때문에 오지랖이 넓다는 것은 간섭할 필요도 없는 일에 지나치게 간섭하는 사람을 비꼴 때 사용하는 말이 된다. 즉 그것이 지나쳐서 남을 귀찮게 할 때, 이를 경계하여 오지랖이 넓다고 하는 것이다. 그래서 남의 일에 간섭을 잘하는 사람에게 가끔 "오지랖이 넓다." 또는 "오지랖이 몇 폭이냐?"라고 비아냥거리기도 한다.

한편 이러한 말이 생겨난 데에는 한국인들의 '정(情)'과도 연관이 있을 것이다. '정'은 사람과 사람 사이에 느끼는 친근감을 의미한다. 예로부터 한국 사람들은 다른 사람의 일도 내 일인 것처럼 관심을 갖고 도와주었다. 그것의 대표적인 예로 두레와 품앗이가 있다. 두레란 농촌에서 힘든 농사일을 혼자 하지 않고 마을 사람들 전체가 공동으로 도와주는 것이다. 그리고 품앗이는 일대일의 노동 교환 방식으로 내가 상대방의 일을 도와주면 상대방이 돈을 주는 것이 아니라 우리집의 일을 똑같이 도와주는 것이다. 이처럼 한국은 두레와 품앗이를 통해 '너의 일도 나의 일'인 것처럼 서로 도움을 주고받으며 정을 나누는 사회였다. 이렇게 남의 일에 많은 관심을 보이는 행동 때문에 "오지랖이 넓다"는 말이 생겨난 것이 아닐까?

오지랖이 넓다는 말이 지금은 부정적인 의미로 사용되지만 개인주의가 만연한 오늘날 오지랖이 넓은 행동이 점점 사라져 간다는 것은 아쉬운 일이 아닐 수 없다.

- 오지랖
- 윗도리
- 겉옷
- 앞자락
- 감싸다
- 미덕
- 다름없다
- 간섭하다
- 비꼬다
- 귀찮다
- 경계하다
- 비아냥거리다
- 연관
- 친근감
- 예
- 두레
- 품앗이
- 농사일
- 일대일
- 방식
- 개인주의
- 만연하다
- 사라지다

※ 이야기해 보십시오.

1. 오지랖이 넓은 사람을 만나본 경험에 대해 이야기해 봅시다.

2. 대인관계를 나타내는 속담의 뜻을 알아봅시다.

   1) 웃는 얼굴에 침 못 뱉는다.
   2) 믿는 도끼에 발등 찍힌다.
   3) 말 한 마디에 천 냥 빚도 갚는다.

제3과 봉사

준비하기 1
소식을 듣고 의견 제공하기
AV-느니[1]
V-(으)ㄴ/는가 하면, N(이)ㄴ가 하면

준비하기 2
설득하기
V기는커녕, N은/는커녕
V-(으)ㄹ 리가 없다, N일 리가 없다

듣기
재능기부에 대한 강연 듣기

말하기
계획 말하기

읽기
사례 소개하기

쓰기
봉사활동 경험 쓰기

문화 이해하기
기부문화 비교하기

3 봉사

준비하기1 407

소식을 듣고 의견 제공하기

- 쪼개다
- 대중
- 더불다
- 밑거름
- 폐
- 묵묵히
- 선행
- 떠벌리다

메 이: 이것 좀 보세요. 배우 유나영 씨가 올해도 다른 나라로 봉사활동을 하러 갔대요.

파하드: 해마다 정기적으로 해외 봉사활동을 하나 보네요.

메 이: 연예 활동도 활발하게 해서 굉장히 바쁠 텐데 정말 대단하죠?

파하드: 맞아요. 요즘 바쁜 시간을 쪼개서 어려운 이웃을 돕는 연예인과 스포츠 스타들이 점점 늘고 있다고 해요. 유명인들이 자발적으로 봉사하는 모습은 대중들에게 더 큰 감동을 주곤 하죠.

메 이: 이런 뉴스는 언제 들어도 참 기분이 좋아요. 연예인들의 이런 모습은 더불어 사는 사회를 만드는 밑거름이 되는 것 같아요.

파하드: 하지만 꼭 좋은 모습만 볼 수 있는 건 아니에요. 최근에 가수 김상현 씨는 음주운전을 한 후에 반성한다는 의미로 사회 봉사를 했는데 오히려 사람들의 눈살만 찌푸리게 했잖아요.

메 이: 저도 그 뉴스 들었어요. 봉사활동을 하러 가서 제대로 하지도 않고 폐만 끼치고 왔다는 얘기 맞죠? 그렇게 하느니 차라리 집에나 가만히 있는 게 나았을 텐데…….

파하드: 네, 맞아요. 어디에도 알리지 않은 채 묵묵히 선행을 베푸는 사람이 있는가 하면 반대로 실천은 없이 떠벌리기만 하는 사람들도 있어요.

메 이: 정말 안타깝네요. 대중에게 받은 사랑을 아름다운 선행과 자원봉사로 갚아 나가는 연예인들의 모습이 많은 사람들에게 희망이 된다는 사실을 잊지 말았으면 좋겠어요.

1. AV-느니[1]

: 앞 상황이나 행동보다는 뒤 상황이나 행동이 차라리 더 나음을 나타낸다.

1) 가: 아직 숙소를 못 구해서 오늘은 찜질방에서 자야겠는데요?
나: 저는 찜질방에서 자느니 차라리 밤새 놀겠어요.
2) 가: 아무리 돌아다녀도 문을 연 가게를 찾기가 힘든데 그냥 돌아갈까요?
나: 아무 것도 못 사고 돌아가느니 조금 더 찾아봅시다.
3) 가: 입을 옷이 없으면 이 옷이라도 입고 나가지 그래?
나: 그런 촌스러운 옷을 입느니 그냥 안 나가고 말지.
4) 가: 더 이상 고집부리지 말고 그 사람과 결혼해라.
나: 사랑하지 않는 사람과 결혼하느니 아예 혼자 살겠습니다.
5) 가: 외국에서 이렇게 힘들게 사느니 차라리 귀국하는 게 낫겠어요.
나: 무슨 말이에요. 포기하지 말고 기운을 내세요.

✓ AV-느니만 못하다

1) 밖에서 자는 것은 안 자느니만 못하다.
2) 아무 소득 없이 돌아가는 것은 조금 더 기다리느니만 못하다.

- 촌스럽다
- 아예
- 소득

2. V-(으)ㄴ/는가 하면, N(이)ㄴ가 하면

: 앞 문장과 뒤 문장이 서로 다르거나 반대되는 상황을 나타낸다.

1) 가: 쉬는 시간에 몇 명은 자는가 하면 공부하는 사람도 몇 명 있어요.
나: 쉬는 시간에도 열심히 하는 사람들이 있네요.
2) 가: 이 동네는 물건 값이 천차만별이네요.
나: 맞아요. 같은 물건인데도 이곳은 싼가 하면 저곳은 비싸고 물건 값이 모두 제각각이에요.
3) 가: 저는 이게 맞다고 생각하는데 다른 사람은 아니라고 하더라고요.
나: 이렇게 말하는 사람이 있는가 하면 저렇게 말하는 사람도 있는 거야.
4) 가: 수업하는 데 문제는 없어요?
나: 없기는요. 모두가 이해했는가 하면 아직 모르겠다는 학생이 꼭 한 명씩 있어요.
5) 가: 부자인데도 세금을 안 내는 사람이 있대요.
나: 그런가 하면 이름을 밝히지도 않고 성금을 내는 사람들도 있어요.
6) 가: 옆집 쌍둥이를 보면 누가 형이고 누가 동생인지 구분할 수 있어요?
나: 아니요. 저 사람이 형인가 하면 이 사람이 형이고 이 사람이 동생인가 하면 저 사람이 동생이더라고요.

- 천차만별
- 제각각
- 성금
- 쌍둥이

연습하기

1. 다음과 같이 이야기해 보십시오.

한 시간 / 자다
한 시간만 자다 / 안 자다

가: 한 시간**이라도** 자**는 게 어때요?**
나: 한 시간만 자**느니 차라리** 안 자**는 게 나아요.**

1) 식은 밥 / 먹다
식은 밥을 먹다 / 라면을 끓여 먹다
2) 며칠 / 참아 보다
며칠 동안 참다 / 지금 당장 그만두다
3) 지금 / 사실을 밝히다
이제 와서 사실을 밝히다 / 끝까지 비밀로 하다
4) 미나 씨에게 / 부탁하다
미나 씨에게 부탁하다 / 혼자 하다
5) 여기에 / 앉다
여기에 앉다 / 계속 서 있다

2. 다음과 같이 이야기해 보십시오.

• 동선
• 소란스럽다

그 노트북 / 사용하기
작고 가벼워서 편리하다 / 저장 공간이 부족해서 불편하다

가: 그 노트북**은** 사용하기**가 어때요?**
나: 작고 가벼워서 편리한**가 하면** 저장 공간이 부족해서 불편하**기도 해요.**

1) 출퇴근 시간에 / 교통 상황
길이 막히다 / 차가 잘 빠지다
2) 한국 / 생활하기
음식에 적응했다 / 날씨 때문에 가끔 힘들다
3) 새로 이사한 집 / 시설
주방이 조금 좁다 / 동선이 짧아 좋다
4) 그 사람 / 성격
평소에 말이 없고 소극적 / 적극적인 면이 있다
5) 최근 / 학교의 분위기
시험 기간이라서 조용하다 / 어떤 때는 소란스럽다

준비하기2 408

설득하기

- 손길
- 자격
- 요건
- 꿩 먹고 알 먹는다
- 누이 좋고 매부 좋다
- 도랑 치고 가재 잡는다

아멜리: 날씨가 추워지니까 이곳저곳에서 도움의 손길을 필요로 하는 사람들이 늘어나는 것 같아.

박지성: 봉사활동은 특별한 시기가 정해져 있는 것은 아니지만 보통 날이 추워질 때 더 많이 하지.

아멜리: 그럼 나도 봉사활동을 좀 해 볼까? 얼마 전에 게시판에서 홀로 사는 노인들을 위해서 김장 봉사활동을 한다는 소식을 봤는데 같이 가서 해 보지 않을래?

박지성: 의미 있는 일이기는 한데 나에게는 무리야. 너도 잘 알다시피 나는 김장은커녕 평소에 주방에 잘 들어가지도 않잖아.

아멜리: 김치를 먹었어도 네가 나보다 100배는 더 많이 먹었겠다. 나보다 못할 리가 없잖아.

박지성: 그렇게 말한다면 할 말이 없지만 그래도 걱정이 되는데…….

아멜리: 내가 모집공고를 봤는데 요리를 잘 해야 한다든지 경험이 있어야 된다든지 하는 특별한 자격 요건은 없었어. 단지 체력과 책임감만 있으면 된다고 하던데?

박지성: 네가 이렇게까지 적극적으로 나오니까 내가 계속 거절할 수도 없고……. 그래. 어디 한번 함께 해 보자.

아멜리: 봉사활동을 통해서 좋은 일도 하고 한국 문화도 체험할 수 있으니까 정말 좋을 것 같아. 이때 "꿩 먹고 알 먹는다"라고 하는 거 맞지?

박지성: 하하하. "누이 좋고 매부 좋다, 도랑 치고 가재 잡는다"라고도 하지.

• 노후
• 저축
• 빠듯하다
• 엎어지면 코 닿을 데
• 꼴찌

3. V기는커녕, N은/는커녕

: 앞의 상황뿐만 아니라 그보다 가능성이 높은 뒤의 상황조차 일어나기 어려울 때 사용한다.

1) 가: 우리 부부의 노후를 위해서 저축을 좀 해야겠어요.
   나: 지금 버는 돈으로는 저축하기는커녕 먹고사는 것조차 빠듯해요.
2) 가: 그 회사는 월급을 좀 많이 줘요?
   나: 월급이 많기는커녕 생활비도 안 될 정도예요.
3) 가: 제주도에 가 봤어요?
   나: 제주도는커녕 엎어지면 코가 닿을 데인 월미도도 못 가봤어요.
4) 가: 이번 시험에서 일등 할 수 있겠죠?
   나: 일등은커녕 꼴찌나 안 했으면 좋겠어요.
5) 가: 그 사람이 먼저 사과했어요?
   나: 그 사람은 미안하다는 말은커녕 오히려 저에게 화를 내더라고요.

• 망하다
• 틀다
• 우등생

4. V-(으)ㄹ 리가 없다, N일 리가 없다

: 앞 내용이 사실이 아니라고 확실히 믿을 때 사용한다.

1) 가: 우리가 자주 가던 그 식당이 곧 망할 것 같아요.
   나: 그렇게 장사가 잘 되는 식당이 망할 리가 없어요.
2) 가: 저 사람이 굉장히 기분 나빠하네요.
   나: 그런 욕을 듣고 기분이 좋을 리가 없지.
3) 가: 우리 반 일등이 이번 시험에서 떨어졌대요.
   나: 설마 그 친구가 떨어졌을 리가 있겠어요?
4) 가: 집이 왜 이렇게 추워요?
   나: 보일러를 틀어서 추울 리가 없는데 이상하네요.
5) 가: 그 사람이 한국인이 아니었대요.
   나: 네? 그렇게 한국말을 잘 하는 사람이 외국인일 리가 없어요.
6) 가: 성실하지도 않고 게으르기만 한 친구가 고등학생 때 우등생이었대요.
   나: 그런 사람이 우등생이었을 리가 없어요.

연습하기

1. 다음과 같이 이야기해 보십시오.

• 전세금

오래 걸어서 다리가 아프다 / 택시 타고 가다
택시 / 버스 타고 갈 돈도 없다
가: 오래 걸어서 다리가 아프**니까** 택시 타고 가**요.**
나: 택시**는커녕** 버스 타고 갈 돈도 없**어요.**

1) 전세금이 부족하다 / 백만 원만 빌려주다
백만 원 / 만 원도 없다
2) 인하대가 유명하다 / 인하대에 지원하다
토픽을 못 따서 인하대 / 아무 대학에도 지원 못 하다
3) 저렇게 매력적이다 / 남자친구가 많겠다
남자친구가 많다 / 연애도 한 번 못 해 봤다고 하다
4) 시험 문제가 쉬웠다 / 다 풀었겠다
다 풀다 / 문제도 다 못 읽었다
5) 소문을 들어보다 / 영화가 재미있었겠다
재미있다 / 영화를 보다가 졸려서 혼났다

2. 다음과 같이 이야기해 보십시오.

오늘 그 사람이 안 온다고 하다
약속을 소중하게 생각하는 사람 / 쉽게 약속을 어기다
가: 오늘 그 사람이 안 온다고 하**던데요?**
나: 약속을 소중하게 생각하는 사람**인데** 쉽게 약속을 어기**ㄹ 리가 없어요.**

1) 밖에 눈이 내리다
따뜻한 봄 / 눈이 오다
2) 준비한 음식이 부족하다
200인분이나 준비했다 / 음식이 부족하다
3) 그 영화가 정말 재미없다
유명한 감독이 만들었다 / 재미없다
4) 박 사장님이 기분이 좋아 보이다
사업이 망했다 / 기분이 좋다
5) 체육대회 때 그 사람이 정말 빨리 뛰다
신발도 안 신었다 / 그렇게 빨리 뛰었다

듣기 409

※ 다음을 잘 듣고 물음에 답해 보십시오.

- 기부
- 인식
- 약자
- 물질적
- 금전적
- 공공기관
- 공헌하다
- 사례
- 활발히
- 요하다
- 청소년기
- 인성
- 환원하다
- 일회성
- 자리매김
- 실행하다
- 저소득층
- 수학
- 불우
- 모금
- 변호사
- 법률

1. 재능기부에 대한 내용으로 알맞은 것을 고르십시오.

① 도움이 필요한 사람들에게 금전적인 도움을 준다.
② 특별한 기술이 있는 사람들이 할 수 있는 활동이다.
③ 개인이 가진 능력을 사용해서 필요한 곳에 기부한다.
④ 어린이보다 청소년기에 하는 것이 인성 교육에 도움이 된다.

2. 청소년기에 하는 재능기부의 장점이 아닌 것을 고르십시오.

① 가벼운 마음으로 나눔을 실행하는 기회가 된다.
② 재능을 활용하는 것이 중요한 이유를 알게 된다.
③ 자신이 배운 것을 타인에게 되돌려 줄 수 있다.
④ 함께 사는 것이 중요함을 이해하게 된다.

3. 재능기부의 예로 알맞지 않은 것을 고르십시오.

① 대학생이 저소득층 가정의 어린이를 위해 수학을 가르친다.
② 기자가 춥고 배고픈 이웃을 위해 불우 이웃 돕기 모금을 한다.
③ 변호사가 어려운 상황에 놓인 사람들을 위해 무료로 법률 상담을 한다.
④ 한국어를 배운 외국인이 한국의 축제에 가서 말이 통하지 않는 자국 사람들을 돕는다.

4. 들은 내용과 같은 것을 고르십시오.

① 금전적으로 도움을 주는 행위만을 기부라고 한다.
② 오래 전부터 재능기부가 활발하게 이루어져 왔다.
③ 재능기부를 위해 특별한 기술이 필요한 것은 아니다.
④ 대부분의 청소년이 지속적인 기부활동을 부담스러워 한다.

말하기

계획 말하기

※ 봉사활동에 대해서 이야기해 보십시오.

1. 자신이 갖고 있는 재능에 대해 생각해 보십시오.

   1) 다음 시설에서 할 수 있는 봉사활동에는 어떤 것들이 있습니까?

   보육원　　양로원　　공부방　　무료 급식소　　기타

   2) 어떤 재능을 갖고 있습니까?
   3) 그 재능으로 무슨 일을 할 수 있습니까?
   4) 그 일을 하려는 다른 이유를 설명해 봅시다.
   5) 그 일을 통해 바라는 점을 이야기해 봅시다.

- 보육원
- 양로원
- 급식소

2. 다음과 같이 이야기해 보십시오.

예

저는 평소에 아이들**에게 관심이 많습니다. 그래서 봉사활동을 한다면** 보육원이나 공부방 등 아이들을 만날 수 있는 **곳에서 하고 싶습니다.** 아이들과 함께 그림 그리기나 게임을 **할 수 있습니다.** 특히 영어에 관심이 많은 아이들에게 영어로 노래를 가르쳐 줄 수도 있습니다. 보육원이나 공부방에 가서 저의 재능을 기부할 수도 있고 아이들도 만날 수 있는 일석이조의 기회**가 되기를 바랍니다.**

읽기

사례 소개하기

※ 다음을 읽고 물음에 답해 보십시오.

- 노숙자
- 난치병
- 부여하다
- 푸다
- 치르다
- 소유

한국의 연예인 부부 중에 봉사활동이 일상인 부부가 있다. 이 부부에게 나눔은 특별한 일이 아니다. 1년 동안 매일 만 원씩 모은 365만 원을 매년 결혼기념일에 노숙자를 위한 무료 급식소에 기부한다. 그리고 딸의 돌잔치를 할 돈으로 난치병 어린이를 위한 성금을 내기도 했다. 이 부부는 나누면 나눌수록 나눔이 커진다고 말한다.

이 부부의 봉사활동은 결혼 1주년이 되던 날부터 시작됐다. 결혼기념일에 조금 더 의미를 부여하고 부부가 함께 행복의 의미를 생각하려고 한 것이다. 이들은 결혼한 날부터 하루에 만 원씩 모은 365만 원을 노숙자를 위한 무료 급식 봉사활동을 하는 '밥퍼 나눔 운동 본부'에 전달했다. 이러한 나눔의 실천은 결혼기념일마다 1년간 모은 돈을 기부하고 주말마다 노숙자에게 밥을 퍼 주는 봉사로 이어지고 있다.

이들은 첫딸이 태어난 후에도 하루에 만 원씩 모았다. 딸이 태어난 지 1년이 되던 날, 그 돈을 한 대학병원에 어린이 난치병 돕기 성금으로 내놓았다. 병원을 방문해 성금을 전달하고 케이크를 자르는 것으로 첫아이의 돌잔치를 치른 것이다.

"우리 부부는 매일 만 원을 모았어요. 만 원을 가지고 매일 맛있는 것을 사 먹을 수도 있고 무엇을 살 수도 있어요. 만 원을 쓰면서 잠깐 동안 기쁨이나 행복을 느낄 수 있겠죠. 하지만 하루에 만 원씩 1년 동안 모으고 그 돈을 어려운 사람들과 나눈 결과 우리는 더 큰 행복을 느낄 수 있었어요. 행복은 소유에 있지 않고 나눔에 있는 것 같아요."

이들은 정작 내 집 마련 계획이나 노후 계획 등 본인들을 위한 것은 하고 있지 않다. 그저 자신의 것을 다른 사람들과 나누며 기쁨을 느낄 뿐이다. 행복한 삶을 위해 개인적인 욕심을 채우지 않고 나눔을 실천하며 사는 이 부부의 삶은 다른 사람들에게 귀감이 된다.

1. 이 글의 제목을 만들어 보십시오.

• 잔금

2. 밑줄 친 것과 의미가 다른 것을 고르십시오.

① 주인에게 내일까지 아파트 잔금을 치러야 해요.
② 집들이를 치를 때 어머니께서 오셔서 도와주셨어요.
③ 그렇게 큰일을 치렀으니 몸살이 나는 게 당연하지요.
④ 요즘은 공개 시험을 치러서 사원을 모집하는 경우가 많아요.

3. 이 글의 내용과 일치하는 것을 고르십시오.

① 결혼식 때 무료 급식 봉사활동을 했다.
② 잠깐의 기쁨과 행복을 위해 만 원을 사용한다.
③ 젖아이의 돌잔치 대신 성금을 급식소에 기부했다.
④ 행복은 나의 것을 함께 나누는 데에 있다고 생각한다.

쓰기

※ 봉사활동 경험을 써 보십시오.

1. 내가 한 봉사활동에 대해 생각해 보십시오.

   1) 봉사활동을 하게 된 계기는 무엇입니까?
   2) 언제 어디에서 했습니까?
   3) 어떤 사람들을 만나 어떻게 봉사했습니까?
   4) 봉사활동 후 무엇을 느꼈습니까?

2. 생각한 내용을 바탕으로 개요를 완성해 보십시오.

처음	(봉사활동을 하기 전 나의 생각과 하게 된 계기)
중간	(봉사활동을 한 과정)
끝	(봉사활동 후 나의 느낌)

3. 개요를 바탕으로 글을 써 보십시오.

문화 이해하기

기부문화 비교하기

몇 해 전 세계에서 빌게이츠 다음으로 부자인 워렌버핏이 자신의 재산 중 85%를 기부하겠다고 선언하여 전 세계적으로 큰 화젯거리가 되었다.

기부문화가 발달한 미국의 경우 일 년에 약 250조 규모의 기부금이 모금되고 있다. 미국에서 한 해 동안에 모금되는 기부액을 살펴보면 총액의 75.6%가 개인이 기부한 것으로 기업이나 단체의 기부액보다 훨씬 높은 비율을 차지한다. 그리고 미국 시민의 자원봉사활동 참여율은 전 인구의 50%에 이르고 있다. 이는 미국 시민들의 기부와 자원봉사활동이 생활 속에 자리 잡고 있음을 알려 준다.

한국에는 1980년대에만 하더라도 '기부문화'라는 단어는 생소한 단어였다. '기부문화'라는 단어보다는 '자선'이라는 단어가 많이 사용되었었다. 이는 기부활동이 문화적으로 자리를 잡기보다는 일부 개인의 측은지심 수준에 머물러 있었음을 의미한다.

그러나 최근 10여 년 사이에 한국에서도 시민들의 자발적인 기부와 자원봉사활동이 늘어나고 있다. 이것은 매우 긍정적인 변화이다. 초등학교 앞에서 떡볶이를 팔던 할머니께서 10년 동안 버신 돈을 그 초등학교 장학금으로 내놓거나, 유명 가수가 콘서트를 통해 얻은 수익금으로 어려운 아이들을 돕는 등 사회 곳곳에서 기부 천사들의 활동이 펼쳐지고 있다. 아직 선진국 수준에는 못 미치고 있으나 일반 시민들에 의한 기부금 모금이나 자원봉사 활동이 점차 늘어나고 있다.

기부문화는 한 나라의 문화 수준을 결정할 수 있는 중요한 기준이다. 자발적으로 자신의 부와 시간을 이웃과 함께 나누는 기부문화는 계층 간의 벽을 허무는 사회 통합의 역할을 한다. 현대사회에서 기부문화의 확산은 계층 간 갈등을 줄이고 함께 사는 사회를 만들어 가는 밑거름이 될 것이다.

- 선언하다
- 화젯거리
- 총액
- 비율
- 참여율
- 생소하다
- 자선
- 측은지심
- 머무르다
- 수익금
- 점차
- 계층
- 벽
- 통합
- 확산

※ 이야기해 보십시오.

1. 어떤 기부 활동을 해 봤습니까?

2. 여러분 나라에서는 어떤 기부 문화가 있습니까?

제4과 건강

준비하기 1
친구의 건강 상태 걱정하기
AV-는 둥 마는 둥
AV-기 십상이다, N(이)기 십상이다

준비하기 2
알레르기에 대한 정보 전달하기
V-길래, N(이)길래
N(이)나마

듣기
단 음식을 건강하게 먹는 방법 제안하기

말하기
건강하게 생활하는 방법 소개하기

읽기
우울증 극복 방법 제안하기

쓰기
불면증 해결 방법에 대해 조언하기

문화 이해하기
한국인의 보양식

4 건강

준비하기1 410

친구의 건강 상태 걱정하기

- 어쩌다
- 고생하다
- 식습관
- 편식하다
- 순식간
- 폭식
- 수면
- 대다수
- 성인병

메 이: 수업 끝나고 같이 도서관에 가지 않을래요? 반납할 책이 있다면서요?

파하드: 미안해서 어쩌지요? 요즘 번역 아르바이트랑 학교 공부로 시간이 없어서 계속 밥을 먹는 둥 마는 둥 했더니 위장병에 걸려 버렸어요. 오늘은 수업이 끝나면 바로 병원에 가야 해요.

메 이: 저런, 돈보다 중요한 게 건강인데 아무리 바빠도 끼니를 잘 챙겨야지요. 정해진 시간에 식사를 하는 것은 건강을 지키는 방법 중 가장 기본이에요.

파하드: 그러게요. 이번에 위장병으로 고생해 보니까 건강을 위해서 규칙적인 식습관을 가져야겠다는 생각이 많이 들었어요. 그리고 과식하고 편식하는 습관도 고치려고요. 밤마다 한꺼번에 많이 먹다 보니까 순식간에 살이 찌더라고요.

메 이: 맞아요. 낮에는 굶고 밤에는 폭식을 하다가는 오히려 살이 찌기 십상이에요. 파하드 씨는 아르바이트 때문에 늦게 자서 수면량도 부족한 것 같은데 일찍 자고 일찍 일어나는 습관도 가져 보세요. 아침 한 시간은 낮의 네 시간의 효율과 같다고 해요. 일찍 일어나는 습관을 가지면 더욱 여유가 생길 거예요.

파하드: 저도 그러고 싶어요. 그렇지만 매일 밤늦게 들어오니까 늦게 자는 것이 습관이 되어서 아침에 일찍 일어나는 것이 쉽지 않아요. 일주일에 세 번 이상 운동도 계획했었는데 전혀 못하고 있고요.

메 이: 요즘 현대인들의 대다수가 그런 생활 습관이 있어요. 바쁘다는 핑계로 불규칙적인 식사와 과식과 폭식에 충분하지 못한 수면까지……. 게다가 운동도 안 하니 성인병 발병률이 높을 수밖에 없어요. 결국 건강은 우리의 노력에 달려 있어요.

1. AV-는 둥 마는 둥

: 어떤 행동을 하는 것 같기도 하고 하지 않는 것 같기도 하여 제대로 하지 않음을 나타낸다.

1) 가: 흐엉 씨가 제 얘기를 듣는 둥 마는 둥 했어요.
   나: 이해하세요. 흐엉 씨가 요즘 과제 때문에 정신이 없어요.
2) 가: 머리가 젖었네요. 비를 맞았어요?
   나: 아니요, 아침에 샤워하고 머리를 말리는 둥 마는 둥 하고 바로 나와서 그런가 봐요.
3) 가: 오늘 가장 중요한 기사가 뭐예요?
   나: 신문기사를 읽은 둥 만 둥 했더니 기억이 안 나요.
4) 가: 조카는 잘 재웠어요?
   나: 네, 처음에는 잘 둥 말 둥 하더니 어느새 스르륵 잠이 들었더라고요.
5) 가: 답답하니까 이야기를 할 둥 말 둥 하지 말고 그냥 이야기해 보세요.
   나: 미안해요, 잠시만 기다려 주세요. 어떻게 말해야 할지 잘 모르겠어요.

• 어느새
• 스르륵

2. AV-기 십상이다, N(이)기 십상이다

: 앞 문장의 상황이 되기 쉽다거나 그럴 가능성이 크다는 의미를 나타낸다.

1) 가: 제시간에 식사를 하세요. 끼니를 제때 챙기지 않으면 건강을 해치기 십상이에요.
   나: 알겠어요. 명심할게요.
2) 가: 컴퓨터 게임을 많이 하면 눈이 나빠지기 십상이에요.
   나: 저도 그건 알지만 습관을 바꾸기가 쉽지 않네요.
3) 가: 사람을 첫인상으로만 판단하면 실수하기 십상이에요.
   나: 그래서 대화가 중요하다고 하나 봐요.
4) 가: 오늘 지갑에 돈이 많아서 불안하네요.
   나: 이런 큰돈을 들고 다니면 잃어버리기 십상이에요.
5) 가: 이 가방은 유명 상표인데 평소보다 80%나 저렴해서 하나 사려고요. 어때요?
   나: 너무 싼 물건은 가짜이기 십상이에요. 다시 한번 확인해 보세요.

• 제때
• 명심하다
• 상표

연습하기

1. 다음과 같이 이야기해 보십시오.

• 작별

반 친구들에게 작별 인사를 했다
아니요, 급하게 고향에 돌아가느라고 정신이 없다 / 인사를 하다

가: 반 친구들에게 작별 인사를 했**어요?**
나: 아니요, 급하게 고향에 돌아가느라고 정신이 없**어서** 인사를 하**는 둥 마는 둥 했어요.**

1) 배가 많이 고프다
네, 늦잠을 자다 / 아침밥을 먹다
2) 많이 피곤하다
네, 어제 밖이 너무 시끄럽다 / 잠을 자다
3) 영화 내용은 기억이 나다
아니요, 지루하다 / 영화를 보다
4) 시험공부를 많이 했다
아니요, 집중이 안 되다 / 공부를 하다
5) 어제 놀이공원에 잘 다녀왔다
아니요, 친구와 싸우다 / 놀다

2. 다음과 같이 이야기해 보십시오.

• 촉박하다
• 헬멧
• 따지다
• 틈틈이
• 망가뜨리다

마감 시간이 촉박하다 / 일이 아직 안 끝나다 / 마음이 급하다
천천히 하다 / 서두르다 / 실수하다

가: 마감 시간이 촉박**한데** 일이 아직 안 끝나**서** 마음이 급하**네요.**
나: 천천히 하**세요.** 서두르**면** 실수하**기 십상이에요.**

1) 오토바이를 타야 하다 / 헬멧이 답답하다 / 쓰고 싶지 않다
헬멧을 쓰다 / 헬멧을 쓰지 않고 오토바이를 타다 / 크게 다치다
2) 노트북을 사려고 하다 / 이 사이트가 가장 싸다 / 당장 사고 싶다
조금 더 꼼꼼하게 따져 보다 / 확인해 보지 않고 사다 / 후회하다
3) 점심시간이다 / 일이 많다 / 밥 먹을 시간도 없다
틈틈이 쉬면서 일하다 / 이렇게 계속 무리하다 / 쓰러지다
4) 다음 주에 경기를 하다 / 연습량이 많다 / 많이 지치다
그래도 연습을 많이 하다 / 연습을 하지 않고 경기에 참가하다 / 경기에서 지다
5) 휴대폰을 새로 샀다 / 사용법이 너무 어렵다 / 어떻게 할지 모르겠다
설명서를 제대로 보다 / 설명서를 잘못 보고 이용하다 / 기계를 망가뜨리다

준비하기2 411 알레르기에 대한 정보 전달하기

- 부르트다
- 간지럽다
- 두드러기
- 그나마
- 선천적
- 면역
- 체계
- 빠삭하다
- 만성

자르갈: 아멜리 씨, 얼굴이 왜 그래요? 입술이 부르터서 다른 사람 같아요.

아멜리: 많이 이상한가요? 이유를 잘 모르겠어요. 계속 간지럽고 자꾸 두드러기가 생기는 것이 얼마나 불편한지 몰라요.

자르갈: 아무래도 알레르기 때문인 것 같아요. 못 먹는 음식 있어요?

아멜리: 글쎄요. 고향에서도 못 먹는 음식은 없었는데요.

자르갈: 혹시 한국에서 새로운 음식 먹은 거 있어요?

아멜리: 참외를 먹었어요. 어제 기숙사 친구가 시장에서 사 왔길래 맛있게 먹었는데 그때 이후로 자꾸 가려워요.

자르갈: 아무래도 음식 알레르기인 것 같네요.

아멜리: 음식 알레르기요?

자르갈: 네, 음식물을 잘못 먹어서 생기는 증상이에요. 가벼운 증상인 경우에는 입술이 부르트거나 입안이 간지러운 정도로 끝나요. 그러다가 온몸에 두드러기가 생기고 가려운 증상이 생기기도 해요. 심한 경우에는 목이 부어서 음식을 넘기기가 어렵기도 해요. 아멜리 씨는 그나마 나은 편이긴 한데 그래도 병원에 가지 않으면 안 돼요. 병원에 가서 약을 먹는 것이 가장 좋아요.

아멜리: 알레르기는 왜 생기는 거예요?

자르갈: 선천적으로 타고나는 사람도 있고 원래는 없다가 면역 체계가 약해지면서 생기는 경우도 있대요.

아멜리: 자르갈 씨, 다른 것은 잘 모르면서 알레르기에는 빠삭하네요.

자르갈: 저도 오이에 알레르기가 있거든요. 선천적으로 타고난 건 아니고 한국에 와서 환경이 바뀌면서 생겼어요. 아멜리 씨도 얼른 병원에 가 보세요. 오래 두면 만성이 되어서 고치기가 힘들어요.

• 호박죽

3. V-길래, N(이)길래

: 다른 사람의 행동이나 상황이 근거나 이유가 되어 뒤에 말하는 사람이 어떤 행동을 하게 되었음을 나타낸다.

1) 가: 수박이네. 맛있겠다.
   나: 수박을 싸게 팔길래 한 통 사왔어.
2) 가: 호박죽을 끓여 봤는데 맛있길래 너 주려고 가지고 왔어.
   나: 와, 맛있는 냄새가 난다. 고마워. 잘 먹을게.
3) 가: 어디를 다녀왔어요?
   나: 친구가 회사에 찾아 왔길래 차 한잔 마시고 들어왔어요.
4) 가: 비도 안 오는데 우산을 가지고 나왔어요?
   나: 아침에 하늘을 보니까 비가 오겠길래 우산을 가지고 나왔지요.
5) 가: 그 사람이 어떤 사람이길래 그렇게 마음에 들어 하니?
   나: 착하고 잘생긴 데다가 나만 바라봐 주는 사람이에요.

• 양초
• 영상통화
• 향수병

4. N(이)나마

: 가장 좋은 것은 아니지만 괜찮은 정도거나 다른 선택을 할 수 없음을 나타낸다.

1) 가: 배고픈데 집에 밥이 없어서 라면을 끓이고 있어요.
   나: 그나마 있어서 다행이네요.
2) 가: 내일부터 시험인데 공부를 하나도 못 했어요. 어떻게 하지요?
   나: 남은 시간이나마 열심히 공부하면 도움이 될 거예요.
3) 가: 집에 불이 들어오지 않아요. 정전인가 봐요.
   나: 그래도 양초나마 있으니 걱정하지 않아도 돼요.
4) 가: 부모님과 영상통화는 했어요?
   나: 네, 그렇게나마 부모님을 보게 되어서 향수병은 좀 없어졌어요.
5) 가: 조금이나마 제가 도울 수 있는 게 있으면 이야기해 주세요.
   나: 지금 당장은 괜찮아요. 항상 챙겨 줘서 고마워요.

연습하기

1. 다음과 같이 이야기해 보십시오.

• 기력

삼계탕을 만들다
삼계탕이 여름 건강식으로 유명하다 / 한번 만들어 보다

가: **왜** 삼계탕을 만들**었어요?**
나: 삼계탕이 여름 건강식으로 유명하**길래** 한번 만들어 **봤어요.**

1) 비싼 우산을 사다
특이한 디자인이다 / 비싸지만 사다
2) 여기 있던 신문을 치우다
그 신문을 다 본 것 같다 / 청소하면서 버리다
3) 홍삼을 사다
연세가 있는 아버지께서 기력이 없으시다 / 구입하다

2. 다음과 같이 이야기해 보십시오.

• 허겁지겁

얼마나 시험을 못 보다 / 그렇게 속상해하다
노력한 만큼 성적이 안 나왔다

가: 얼마나 시험을 못 **봤길래** 그렇게 속상해**해요?**
나: 노력한 만큼 성적이 안 나왔**어요.**

1) 얼마나 급하게 먹다 / 이렇게 체했다
배가 너무 고파서 허겁지겁 먹었다
2) 그 사람을 얼마나 사랑하다 / 아직도 잊지를 못하다
그 사람이 제 첫사랑이다
3) 핸드폰을 어디에서 잃어버리다 / 아직도 못 찾았다
잃어버린 장소가 전혀 기억이 안 나다

3. 다음과 같이 이야기해 보십시오.

• 재주

교수님을 뵙기가 어렵다
그래서 편지로 / 인사를 드리려고 하다

가: 교수님을 뵙기가 어렵**다면서요?**
나: **네,** 그래서 편지로**나마** 인사를 드리려고 해**요.**

1) 돈벌이가 시원치 않다
하지만 별 볼일 없는 재주 / 있어서 굶지는 않다
2) 요즘 살기가 힘들다
하지만 작은 집 / 소유하고 있어서 노후 걱정은 없다
3) 집에서 학교까지 오는 거리가 멀다
그래도 자전거 / 타고 올 수 있어서 덜 힘들다
4) 여행을 못 갔다
가까운 곳 / 바람을 쐬러 다녀왔으면 좋겠다
5) 왕루 씨와 식사할 시간조차 없었다
하지만 잠깐 / 얼굴을 볼 수 있어서 다행이었다

듣기 412

단 음식을 건강하게 먹는 방법 제안하기

※ 다음을 잘 듣고 물음에 답해 보십시오.

1. 무엇에 대한 내용인지 맞는 것을 고르십시오.

① 단 음식과 영양분의 관계
② 단 음식을 포기해야 하는 이유
③ 건강을 위해서 포기해야 할 일
④ 건강을 유지하며 단 음식을 먹는 방법

2. 들은 내용과 같은 것을 고르십시오.

① 설탕을 조금씩 먹는 것은 나쁘지 않다.
② 설탕에 포함된 인공 감미료는 단맛을 제대로 느끼게 해 준다.
③ 사탕이나 빵 속의 당분은 영양분이 높아서 몸에 좋다.
④ 사탕이나 빵은 열량이 높아서 오랫동안 포만감을 들게 한다.

3. 대화를 들은 후에 청취자가 할 일로 옳지 않은 것을 고르십시오.

① 마트에 가서 과자를 사는 대신 신선한 과일을 산다.
② 말린 과일을 살 때 천연 과일로 만든 것인지 확인한다.
③ 말린 과일을 싫어한다면 과일로 잼을 만들어서 먹는다.
④ 차가운 요구르트는 단맛이 나므로 다른 것은 섞지 않고 먹는다.

- 인공감미료
- 당분
- 열량
- 영양분
- 불안정하다
- 욕구
- 대안
- 군것질
- 섬유소
- 덩어리
- 첨가물
- 천연
- 물엿
- 조청
- 냉동
- 포만감

말하기

건강하게 생활하는 방법 소개하기

※ 건강하게 생활하는 방법에 대해 이야기해 보십시오.

- 하반신
- 상반신
- 혈액순환
- 근육통

1. 여러분이 알고 있는 건강하게 생활하는 방법에 대해서 생각해 보십시오.

• 음식 • 운동 • 수면 • 정신 건강 • ________

1) 무엇을 선택했습니까?
2) 어떻게 하는 것입니까?
3) 어떤 효과가 있습니까?

2. 다음과 같이 이야기해 보십시오.

예

건강하게 생활하는 방법 중에서 음식**에 대해서 이야기하려고 합니다. 제가 알고 있는 방법**은 평소에 음식을 많이 먹지 않**는 것입니다.** 음식을 적게 먹으면 몸 안에서 음식물을 영양소로 바꿀 때 발생하는 해로운 물질이 줄어드**는 효과가 있습니다. 그리고** 적게 먹으면 내 몸이 스스로 살아갈 방법을 찾기 위해서 몸에서 가장 필요한 것 외에는 만들지 않**기 때문에 더 건강하게 생활할 수 있습니다.**

3. 여러분 나라의 전통적인 건강 유지 방법에 대해서 이야기해 보십시오.

1) 특별하게 건강을 지키는 방법은 무엇이 있습니까?
2) 어떻게 하는 것입니까?
3) 어떤 효과가 있습니까?

4. 다음과 같이 이야기해 보십시오.

예

한국에는 '건강해지려면 머리는 차게 하고 발은 따뜻하게 해야 한다'는 말**이 있습니다. 이것을 실천하는 방법으로는** 자기 전에 따뜻한 물에 발을 30분 정도만 담그면 큰 **효과를 볼 수 있다고 합니다. 또** 양말을 겹쳐서 신는 방법도 있습니다. 잘 때도 양말을 신고 발은 이불을 두껍게 덮습니다. **그리고** 옷은 하반신은 따뜻하게, 상반신은 시원하게 입습니다. 이렇게 하면 발이 따뜻해져서 혈액순환이 잘 됩니다. 발에서 혈액순환이 잘 되면 몸 안의 신경들이 정상이 된다고 합니다. 또 피부가 맑아지고 스트레스 해소, 피로 회복, 근육통, 불면증에도 **효과가 있다고 합니다.**

읽기

우울증 극복 방법 제안하기

※ 다음을 읽고 물음에 답해 보십시오.

사람은 다양한 감정을 느끼는데 그 중에는 우울한 감정도 있다. 그러나 이것이 열흘 넘게 지속되면 우울증으로 진단한다. 우울증은 의욕을 약화시키고 우울한 감정을 오랫동안 갖게 하는 심각한 질환이다. 우울증이 심해지면 심지어는 자살을 유발하기도 한다. 왜냐하면 삶이 재미있지 않다고 판단하여 차라리 죽는 것이 행복하다고 느끼기 때문이다. 그렇지만 우리는 자신의 삶을 존중하고 생명을 소중히 아끼는 마음으로 살아가야 한다.

다음은 우울증을 극복하는 몇 가지 방법이다.

1. 긍정적인 생각

같은 일에도 부정적으로 생각하는 사람은 더 많은 스트레스를 받기 십상이다. 또한 부정적인 생각은 그 사람의 인생에 전혀 도움을 주지 못한다. 매사에 긍정적인 생각을 해 보자. 생각도 하나의 습관이기 때문에 자신이 노력하면 고칠 수 있을 것이다.

2. 균형적인 영양 섭취

바쁜 현대인들의 경우 불규칙한 식습관과 잦은 외식으로 인하여 영양소의 균형이 파괴되고 있다. 그러나 체내에서 영양의 균형이 깨지면 감정 기복이 심해지고 이것이 우울증으로 발전하게 된다. 따라서 잘 먹고 잘 쉬는 것도 우울증을 극복하는 하나의 방법이다.

3. 원만한 대인관계 형성

나의 마음을 잘 알아주는 사람이 있으면 기분이 좋아진다. 기분이 좋아지면 체내의 좋은 영향으로 인하여 병에 대한 저항력이 커진다. 따라서 친한 사람들과 솔직히 이야기할 수 있는 관계, 가정에서 편안한 관계를 유지하는 것은 우울증을 예방하는 데에 중요하다.

- 의욕
- 약화
- 자살
- 유발하다
- 소중히
- 극복하다
- 매사
- 균형적
- 잦다
- 외식
- 파괴되다
- 체내
- 저항력
- 솔직히

1. 이 글의 중심내용을 고르십시오.

① 사람들이 다양한 감정을 가지는 이유　② 불규칙한 현대인의 식습관
③ 우울증의 정의 및 극복 방법　④ 대인관계가 우울증에 미치는 영향

2. 이 글의 내용과 <u>다른</u> 것을 고르십시오.

① 우울증에 걸린 사람들은 삶보다 죽음이 더 행복하다고 느낀다.
② 생각은 하나의 습관이기 때문에 매사에 긍정적으로 생각하는 게 좋다.
③ 몸 안에서 영양소의 균형이 맞지 않은 경우에 외식으로 그것을 보충한다.
④ 다른 사람들과 좋은 관계를 유지하면 우울증을 예방하는 데에 도움이 된다.

3. 이 글의 내용을 가장 잘 실천한 사람을 고르십시오.

① 팅팅: 맛있는 음식은 나의 마음을 편하게 할 거야. 오늘도 내 입맛에 맞는 음식을 사 먹겠어.
② 자르갈: 친한 친구가 나를 오해해서 싸웠어. 그 친구가 사과할 때까지 연락하지 않을 거야.
③ 아멜리: 그동안 내가 부정적으로 살았지만 부정적인 것이 모두 나쁜 것만은 아니야.
④ 파하드: 유학 생활을 힘들어하는 친구의 고민을 들어 주려고 해.

쓰기 　　불면증 해결 방법에 대해 조언하기

※ 조언하는 글을 써 보십시오.

• 상사

제가 요즘 회사일 때문에 하도 바빠서 밥도 먹는 둥 마는 둥 하고 있어요. 하지만 집에 돌아와서도 잠을 잘 수가 없습니다. 보통은 피곤하면 집에 오자마자 쓰러져서 자게 되잖아요. 저도 처음에는 그랬는데 할 일이 많다 보니 밤에도 졸면서 일을 하게 됐습니다. 게다가 스트레스까지 받다 보니 이제는 잠이 잘 오지 않네요. 낮에는 일을 해야 하는데 밤에 잠을 자지 못하니까 하루 종일 멍하게 있어서 상사에게 혼나기도 합니다. 그나마 그동안 일을 잘한다는 사실 하나로 지금까지 버텨 왔는데요. 계속 이렇게 하면 해고당하기 십상일 것 같습니다.

이제는 정말 편하게 자고 싶습니다. 어떻게 하면 제가 잠을 잘 수 있는지 알려 주세요.

1. 위의 글에 대해 생각해 보십시오.

1) 위 사람의 고민은 무엇입니까?
2) 병의 원인이 무엇이라고 생각합니까?
3) 어떻게 하면 해결할 수 있습니까?

2. 생각한 내용을 바탕으로 개요를 완성해 보십시오.

처음	•
중간	• 병의 원인 – – • 해결 방법 – –
끝	•

3. 개요를 바탕으로 글을 써 보십시오.

문화 이해하기

- 보양식
- 삼복
- 보강하다
- 갖가지
- 보신
- 집중력
- 단백질
- 돋다
- 증진
- 신진대사
- 개선
- 당뇨병
- 식용
- 주재료
- 한방의학
- 용어
- 빈혈
- 칼슘
- 골다공증
- 유도

한국에는 여름에 삼복(三伏)이 있는데 이때는 일 년 중 가장 무더운 때이다. 옛날부터 한국 사람들은 여름에 지친 몸을 보강하기 위하여 다양한 음식을 즐겨 먹어 왔다. 하지만 갖가지 음식점이 가득한 현대 사회에서는 계절에 상관없이 보양 음식을 즐겨 먹는다. 그 중 한국인들이 가장 즐겨 먹는 음식으로 대표되는 음식을 몇 가지 살펴보도록 하자.

1. 삼계탕

보양식이라고 하면 가장 먼저 떠오를 정도로 삼계탕은 한국의 대표적인 보양식이다. 삼계탕은 닭에 찹쌀, 마늘, 인삼, 대추 등을 넣고 끓이는 탕으로 땀을 많이 흘려서 기운이 빠지고 입맛을 잃기 쉬울 때 먹으면 보신 효과가 매우 높은 전통 음식이다.

삼계탕은 성질이 뜨거운 음식이어서 몸이 차고 추위를 많이 타고 쉽게 피로해지며 집중력이 떨어지는 사람에게 좋다. 닭고기에는 단백질이 풍부해서 새살을 돋게 한다. 또한 삼계탕 재료의 하나인 인삼은 체력 증진, 신진대사 개선, 스트레스 해소, 당뇨병 치료 등에 좋다.

2. 보신탕

보신탕은 식용으로 키운 개를 주재료로 하여 여러 채소를 넣어서 끓인 탕이다. 원래 보신탕이라는 말은 한방의학에서 쓰는 용어였으며 일상생활에서는 개장국이라고 했다.

보신탕은 위와 장을 따뜻하게 하여 그 기능을 강화시킨다. 또한 포만감이 커서 다이어트와 식사량 조절에 좋다. 그리고 철분 성분이 가득해서 빈혈 예방에도 좋고 칼슘 성분이 풍부하여 골다공증을 예방하는 효과가 있다. 게다가 수면 유도 효과가 있어서 불면증 치료와 피로 회복에 도움이 된다.

※ 이야기해 보십시오.

1. 삼계탕이나 보신탕을 먹어 본 경험이 있습니까? 그 맛이 어떻습니까?

2. 여러분 나라의 대표적인 보양식은 무엇입니까?

제5과 여가

준비하기 1
여가 활동 소개하기
V-(ㄴ/는)다기에, N(이)라기에
V-다가도

준비하기 2
대학생들의 여가 문화 정보 제공하기
AV-(으)ㄹ 법하다
V-(으)ㄹ뿐더러

듣기
소개 및 추천하기

말하기
권유하고 설득하기

읽기
여가 활동의 종류 알아보기

쓰기
추천하는 글쓰기

문화
조상들의 여가 생활

5 여가

준비하기1 413

여가 활동 소개하기

- 기초
- 뜨개질
- 뜨다
- 찬반
- 계발

아멜리: 등에 멘 것은 뭐예요?

메 이: 기타예요. 요즘 취미로 기타를 배우고 있거든요.

파하드: 메이 씨, 기타도 배워요? 어디에서요?

메 이: 제 친구가 인터넷으로 알게 된 동호회에서 기타를 배운다기에 나도 좀 소개해 달라고 했더니 바로 가입을 시켜 주더라고요. 같이 모여서 기타도 치고 사람들도 만나고 하니까 외롭지 않아서 좋더라고요. 올 겨울에는 연주회도 열 예정이에요.

아멜리: 수업이 끝나고 그런 모임을 통해서 여가 생활을 즐기는 것도 참 괜찮겠네요. 연주회도 열고 정말 멋있어요.

메 이: 아멜리 씨도 우리 기타 동호회에 들어올래요? 기타를 기초부터 배울 수 있거든요.

아멜리: 저는 악기를 배우고 싶다가도 금세 포기하곤 해요. 음악적 재능이 없거든요. 그래서 저는 집에서 시간을 보낼 때 혼자 뜨개질을 하는 것을 좋아해요. 머릿속이 복잡해질 때 조용히 뜨개질을 하면 마음이 차분해져서 좋아요. 제가 좀 내성적이어서 뜨개질이 제 성격에 잘 맞는 것 같아요.

파하드: 우와, 그럼 예쁜 목도리 하나 떠서 저에게 선물해 주세요. 아멜리 씨가 만든 목도리는 제 마음에 쏙 들 거예요.

아멜리: 선물할 정도의 실력은 아니지만 파하드 씨가 원한다면 정성을 다해서 한번 떠 볼게요. 파하드 씨는 요즘 즐기고 있는 여가 활동이 있어요?

파하드: 저는 지난 학기부터 토론 동아리에 들어가서 매주 토론회에 참석하고 있어요. 주제에 맞는 이유와 근거를 찾아서 찬반 토론을 하는데, 재미도 있고 언어 실력 향상에도 도움이 되고 좋아요. 그리고 나와는 다른 사람들의 의견을 통해서 새롭게 배우는 것들이 있기 때문에 정말 유익해요.

메 이: 여러 가지 정보와 지식들을 쌓을 수 있는 자기 계발 여가 활동도 정말 괜찮겠네요. 언어 실력이 느는 건 물론이고 생각도 깊어지겠어요. 나중에 저에게도 토론 동아리를 소개해 주세요.

1. V-(ㄴ/는)다기에, N(이)라기에

: 다른 사람에게 들은 사실이 뒤 문장의 행동을 하는 이유임을 나타낸다.

1) 가: 이번 체육대회 때 이어달리기에 나가요?
   나: 네. 이어달리기 반대표 선수들을 뽑는다기에 지원을 했어요.
2) 가: 무슨 물건을 그렇게 많이 샀어요?
   나: 백화점에서 할인 행사를 한다기에 무리 좀 했어요.
3) 가: 손에 든 건 뭐예요?
   나: 죽이에요. 친구가 감기 몸살로 아프다기에 주려고 좀 샀어요.
4) 가: 이번 주말에 얼굴 볼 수 있어요?
   나: 미안해요. 친구가 한국에 돌아왔다기에 이번 주말에 만나러 가기로 했어요.
5) 가: 모임에 안 간다더니 왜 마음이 바뀌었어요?
   나: 아멜리 씨가 제가 안 가면 자기도 안 가겠다기에 어쩔 수 없이 가는 것뿐이에요.
6) 가: 주말에 소개팅한 사람은 어땠어요?
   나: 친구가 하도 괜찮은 사람이라기에 만나 봤는데 그저 그랬어요.

2. V-다가도

: 어떤 행동이나 상태가 다른 행동이나 상태로 쉽게 바뀜을 나타낸다.

1) 가: 파하드 씨는 수업 시간에 자다가도 쉬는 시간만 되면 깨어나요.
   나: 파하드 씨는 공부에 흥미가 없나 봐요.
2) 가: 나는 기분이 우울하다가도 초콜릿을 먹으면 기분이 좋아져.
   나: 초콜릿에 들어 있는 카페인에는 피로를 덜어 주고 집중력을 높이는 효과가 있어서 그래.
3) 가: 돈의 노예가 되기 싫은데 계속 아등바등 살게 되네요.
   나: 돈은 있다가도 없고 없다가도 있는 거예요. 너무 돈에 연연하지 마세요.
4) 가: 여자들의 마음은 정말 알다가도 모르겠어요.
   나: 여자들은 남자들만큼 단순하지 않아서 그래요.
5) 가: 부모님의 잔소리 때문에 정말 죽겠어요.
   나: 옛말에 어른들의 말을 잘 들으면 자다가도 떡이 생긴다는 말이 있어요.

- 덜다
- 노예
- 아등바등
- 연연하다

연습하기

1. 다음과 같이 이야기해 보십시오.

어젯밤에 로빈 씨와 통화를 했다
아니요, 로빈 씨가 일찍 자다 / 전화를 못했다
가: 어젯밤에 로빈 씨와 통화를 했**어요?**
나: 아니요, 로빈 씨가 일찍 잔**다기에** 전화를 못했**어요.**

1) 무슨 장을 그렇게 많이 봤다
연휴 기간 동안 문을 열지 않다 / 미리 장을 봐 뒀다
2) 왜 갑자기 집 청소를 열심히 하다
이따가 친구들이 오다 / 정리 좀 하는 중이다
3) 보고 싶다던 영화는 잘 봤다
아니요, 친구가 그 영화가 재미없다 / 다른 영화를 봤다
4) 그 사람 연락처는 알아냈다
아니요, 선생님께서 그 사람을 잘 알다 / 소개를 부탁했다
5) 흐엉 씨랑 단둘이 데이트한 것이다
아니요, 오늘이 흐엉 씨 생일이다 / 축하해 주려고 같이 차를 마신 것뿐이다

2. 다음과 같이 이야기해 보십시오.

• 꼬박
• 바자회

밤을 새우다
선생님께서 오늘까지 보고서를 제출하라고 하다 / 밤을 꼬박 새우다
가: **왜** 밤을 새**웠어요?**
나: 선생님께서 오늘까지 보고서를 제출하**라기에** 밤을 꼬박 새**웠어요.**

1) 자리를 양보하다
지하철 안에서 할아버지나 할머니를 만나면 자리를 양보하라고 하다 / 일어나다
2) 왕루 씨가 빵을 사 주다
밥을 먹었냐고 하다 / 안 먹었다고 했더니 이 빵을 사 주다
3) 집에 있는 물건들을 가져오다
이번 바자회를 통해서 어려운 이웃들을 돕자고 하다 / 안 쓰는 물건들을 가져오다

3. 다음과 같이 이야기해 보십시오.

로빈 씨는 잠을 자다 / 옆에서 먹는 소리만 들리면 벌떡 일어나다
로빈 씨를 깨울 때는 먹는 걸로 깨우면 금방 일어나다

가: 로빈 씨는 잠을 자**다가도** 옆에서 먹는 소리만 들리면 벌떡 일어나**요.**
나: **그러면** 깨울 때는 먹는 걸로 깨우면 금방 일어나**겠네요.**

1) 아이가 울다 / 사탕을 주면 울음을 딱 그칠 정도로 사탕을 좋아하다
이가 많이 썩었다
2) 그 사람은 일을 하다 / 여자 친구에게 전화가 오면 밖으로 나가 버리다
회사 동료들이 싫어하다
3) 친구가 도와주면 고마운 마음이 들다 / 너무 생색을 내면 얄미워지다
정말 고마운 마음이 사라지다
4) 한국은 장마철에 날씨가 맑다 / 갑자기 비가 오곤 하다
항상 우산을 가지고 다녀야 하다
5) 저는 머리가 아프다 / 록음악을 들으면 금세 괜찮아지다
집에 록음악 CD가 많다

- 벌떡
- 썩다
- 얄밉다

준비하기2 414 대학생들의 여가 문화 정보 제공하기

- 제약
- 자체
- 수강료
- 주머니
- 사정

자르갈: 요즘 학업에 시험에 과제까지 있어서 스트레스가 너무 심해요. 스트레스를 해소하고 싶은데 어떻게 해야 좋을지 잘 모르겠어요.

최수지: 할 일은 많고 시간은 없으니 스트레스를 받을 법도 하지요. 바쁜 일상인 건 알겠지만 한번 여가 생활을 즐겨 보세요.

자르갈: 여가 생활이요? 저는 가끔 음악을 듣거나 영화를 보는 게 전부라서 여가 생활을 어떻게 즐겨야 할지 잘 모르겠어요. 한국의 대학생들은 여가 생활을 어떻게 하는데요?

최수지: 한국의 대학생들도 자르갈 씨와 마찬가지로 영화 감상이나 음악 감상, 스포츠 등의 여가를 가장 많이 즐겨요. 쉽게 접할 수 있을뿐더러 저렴한 비용으로도 가능하기 때문인 것 같아요.

자르갈: 대학생들은 대부분 용돈으로 생활을 해야 하다 보니 여가 생활에 많은 투자를 하기가 쉽지 않지요.

최수지: 네. 그것이 한국 대학생들이 여가 생활을 즐기는 데에 제약이 되는 부분이에요. 뮤지컬이나 음악회 같은 공연들은 대학생들이 즐기기에는 너무 비싸요. 게다가 청소년 할인 제도는 있지만 대학생 할인 제도는 거의 없고요. 그래서 값비싼 공연들을 용돈으로 본다는 건 정말 꿈도 못 꿀 일이지요.

자르갈: 저는 악기를 배워 두면 좋겠다 싶어서 알아 봤는데 악기 자체도 비싸고 수강료도 비싸서 고민만 하다가 아직 시도도 못하고 있어요. 요즘 여가 활동의 종류는 다양해졌는데 대학생들의 주머니 사정을 생각한다면 대학생들이 즐길 만한 여가 활동이 그렇게 많지는 않아요.

최수지: 대학생들도 학업과 취업 준비로 많은 스트레스를 받고 있는데 대학생들이 여가 생활을 잘 즐길 수 있도록 제도가 마련이 되었으면 좋겠어요.

3. AV-(으)ㄹ 법하다

: 앞말의 상태가 이미 그렇게 정해져 있다거나 그런 것이 당연함을 나타낸다.

• 학점
• 호수
• 동화
• 핀잔
• 말귀

1) 가: 학점이 4.3이나 나왔는데 장학금을 놓쳤어요.
   나: 그 정도 점수면 장학금을 받을 법한데 아쉽겠네요.
2) 가: 지난 주말에 여행 다녀왔다면서요?
   나: 네. 호수를 봤는데 정말 동화 속에서나 나올 법한 풍경이었어요.
3) 가: 보고서를 늦게 제출했다고 선생님께 핀잔을 들었어요.
   나: 핀잔을 들을 법도 해요. 보고서 제출 기간이 한참 지났잖아요.
4) 가: 아무리 말해도 그 사람이 말귀를 못 알아들어요.
   나: 그렇게 이야기했으면 알 법도 한데 정말 눈치가 없네요.
5) 가: 자르갈 씨가 과연 감동을 받을까요?
   나: 이 정도 정성이면 ______________________________.

✓ DV-(으)ㄹ 법하다

가: 다음 주에 이사라면서? 내가 도와줄게.
나: 귀찮을 법도 한데 도와준다고 하니 고맙다.

4. V-(으)ㄹ뿐더러

: 어떤 사실이나 상황에 더하여 정도가 더 심한 다른 사실이나 상황이 있음을 나타낸다.

• 신축성

1) 가: 메이 씨는 일도 잘할뿐더러 성격도 좋아서 선생님께 칭찬을 많이 받아요.
   나: 메이 씨가 반장이 될 만하네요.
2) 가: 이번 휴가 때도 해외여행을 갈 거예요?
   나: 돈도 없을뿐더러 처리해야 할 업무가 많아서 못 갈 것 같아요.
3) 가: 아멜리 씨가 지난주에 고향에 간다고 하지 않았어요? 오늘 아침에 봤거든요.
   나: 아니요. 아멜리 씨는 고향에 간다고 말한 적도 없었을뿐더러 갈 생각도 없다고 했어요.
4) 가: 내일 등산을 갈 수 있을까요?
   나: 날씨가 추울뿐더러 비까지 온대서 등산은 안 가기로 했어요.
5) 가: 그 청바지가 정말 편해 보이네요.
   나: 네, 착용감이 좋을뿐더러 신축성도 뛰어나요.

연습하기

1. 다음과 같이 이야기해 보십시오.

• 워낙
• 한 치 앞을 못 보다
• 건드리다

오늘은 비가 오려나 보다
그동안 계속 비가 안 왔다 / 이제는 내리다
가: 오늘은 비가 오려나 **봐요.**
나: 그동안 계속 비가 안 왔**으니까** 이제는 내릴 **법해요.**

1) 주변 사람들 모두가 그 사람의 말에 속아 넘어갔다
   워낙 말솜씨가 좋다 / 넘어가다
2) 왜 이런 일이 나에게 생기는 건지 잘 모르겠다
   한 치 앞도 못 보는 게 인생이다 / 그런 일은 누구에게나 충분히 일어나다
3) 3일 동안 밤을 샜더니 병이 났다
   그렇게 무리를 했다 / 병이 나다
4) 도대체 그 말을 듣고 왜 우는지 모르겠다
   자존심을 건드리는 말이다 / 울다
5) 친구가 제 말에 기분 나빠했다
   들어 보다 / 그렇다

2. 다음과 같이 이야기해 보십시오.

• 송년회

아까 만난 그 사람은 무슨 기분 나쁜 일이 있다
그 사람은 원래 말이 없다 / 별로 웃지도 않다
가: 아까 만난 그 사람은 무슨 기분 나쁜 일이 있**나 봐요?**
나: 그 사람은 원래 말이 없**을뿐더러** 별로 웃지도 않**아요.**

1) 백화점에서는 물건을 거의 안 사다
   백화점은 일찍 문을 닫다 / 너무 멀어서 자주 안 가다
2) 새로 들어온 직원이 성실하다
   일도 잘하다 / 성격도 좋다
3) 이 옷이 마음에 들다
   디자인이 예쁘다 / 요즘 계절 분위기에 잘 어울려서 자주 입다
4) 사람들이 김 과장을 못 믿다
   그렇게 행동하면 신뢰를 얻기 힘들다 / 성공하기도 어렵다
5) 송년회에 안 가기로 했다
   거리가 멀다 / 교통도 복잡해서 안 갈 것이다

듣기 415

소개 및 추천하기

※ 다음을 잘 듣고 물음에 답해 보십시오.

1. 여가 생활에 대한 남자의 생각으로 맞는 것을 고르십시오.

① 바쁜 상황에서 여가 생활은 사치이다.
② 여가 생활은 다른 사람과의 친목을 위해 필요하다.
③ 시간과 비용을 투자를 해야 여가 생활을 즐길 수 있다.
④ 몸이 둔하다면 활동적인 여가를 무리하게 즐기면 안 된다.

• 유연성
• 구청
• 개설되다
• 친목
• 다지다
• 사치
• 둔하다

2. 남자가 여가 생활을 망설이는 이유로 알맞은 것을 고르십시오.

① 학업 때문에
② 재주가 없기 때문에
③ 유연성이 없기 때문에
④ 시간 또는 비용 때문에

3. 댄스 스포츠의 장점이 아닌 것을 고르십시오.

① 신나는 음악에 맞춰 춤을 추면 스트레스가 풀린다.
② 몸의 유연성을 기를 수 있고 몸매를 예쁘게 가꿀 수 있다.
③ 저렴한 비용으로 배울 수 있기 때문에 누구나 참여가 가능하다.
④ 회원들과 함께 즐기며 친목을 다질 수 있다.

※ 여가 활동에 대해 이야기해 보십시오.

1. 아래의 문화 센터 시간표를 보고 본인이 하고 싶은 여가 활동에 대해 관심 있는 이유가 무엇인지 생각해 보십시오.

강좌명	시간		정원	수강료	기타
	평일	주말			
요가	월 / 수 / 금 07:00 ~ 07:50 19:00 ~ 19:50	토 / 일 09:00 ~ 09:50	12명	월 40,000원	준비물: 편한 복장
수영	월 / 수 / 금 07:00 ~ 07:50 21:00 ~ 21:50	토 / 일 11:00 ~ 11:50	12명	월 60,000원	준비물: 수영복
노래 교실	화 / 목 10:00 ~ 10:50 15:00 ~ 15:50	토 / 일 14:00 ~ 14:50	12명	월 30,000원	교재비 별도
바리스타	화 / 목 10:00 ~ 11:30 15:00 ~ 16:30	토 / 일 14:00 ~ 15:30	15명	월 75,000원	재료비 별도
네일 아트	화 / 목 10:00 ~ 11:30 15:00 ~ 16:30	토 / 일 14:00 ~ 15:30	15명	월 100,000원	재료비 별도
컴퓨터	화 / 목 10:00 ~ 11:30 20:00 ~ 21: 30	토 / 일 15:00 ~ 16:30	15명	월 20,000원	교재비 별도

2. 다음과 같이 이야기해 보십시오.

예

가: 야, 나랑 같이 요가 배울래?
나: 요가? 갑자기 왜?
가: 이번에 문화 센터에서 새롭게 강좌를 열**었다기에** 알아 봤는데, 몸의 유연성도 길러 줄**뿐더러** 건강도 지킬 수 있다**잖아.** 그러니까 같이 하자.
나: 좋은 생각이네. 그런데 컴퓨터 배우는 데는 관심 없어?
가: 컴퓨터? 컴퓨터는 기본적으로 할 수 있잖아.
나: 보고서를 **쓸 때** 도움이 많이 될 것 같아.

읽기

여가 활동의 종류 알아보기

※ 다음을 읽고 물음에 답해 보십시오.

사회가 발전하고 생활이 풍요로워지면서 많은 사람들이 여가 생활에 상당히 많은 시간과 비용을 투자하고 있다. 과거에는 TV 시청이나 독서, 영화 감상과 같은 휴식을 위한 여가 활동을 많이 즐겼다. 그러나 주 5일 근무제가 실시되면서 지금은 해외여행을 위해 어학을 공부하거나 노후 대비 및 지식과 교양을 높이기 위한 자기 계발 여가 활동, 건강을 위한 여가 활동 등을 다양하게 즐기고 있다.

먼저 지식을 쌓을 수 있는 여가로는 어학 공부, 자격증 취득, 글쓰기, 토론과 같은 활동들이 있으며 교양을 높이는 여가로는 꽃꽂이나 서예, 손글씨, 십자수, 뜨개질 등이 있다. 지식과 교양을 위한 여가 활동은 많은 비용이 든다. 하지만 정서적인 안정과 자기 계발에 도움이 되기 때문에 요즘 같이 스트레스가 만연한 경쟁 사회에서 좋은 여가 활동이 될 수 있다.

건강을 위한 여가로는 수영, 테니스, 승마, 골프, 댄스, 등산 등이 있다. 젊은 층에게는 수영과 승마와 댄스 등이 인기를 얻고 있으며 골프와 등산과 같은 여가는 건강에 관심이 많은 중년층의 사람들이 즐기고 있다. 하루 종일 컴퓨터 앞에 앉아 있는 많은 현대인들에게 스포츠 여가는 건강을 지키는 필수적인 요소가 되고 있는 듯하다.

마지막으로 휴식을 위한 여가로는 음악 감상, 영화 감상, 공연 감상, 전시회 관람, 낚시, 바둑 등이 있다. 비교적 쉽게 접할 수 있으며 방법 등이 용이하기 때문에 과거부터 지금까지 가장 많은 사람들이 즐기는 여가 활동이다. 정적인 것을 좋아하고 조용히 즐길 수 있는 여가를 선호하는 사람들에게는 공연, 관람, 낚시, 바둑 등이 인기를 얻고 있다.

이처럼 여가 활동의 종류가 다양해지고 쉽게 즐길 수 있게 되었다. 앞으로도 여가 문화 시장은 더욱 성장하게 될 것이다. 너무 바쁜 일상을 한 번쯤은 내려놓고 우리의 정신 건강과 육체 건강을 위해 시간과 비용을 투자해 보는 것은 어떨까? 운동이든 자기 계발이든 (   ) 여가 활동이라면 스트레스를 많이 받는 현대인들에게 크게 유익할 것이다.

- 상당히
- 근무제
- 실시되다
- 교양
- 꽃꽂이
- 서예
- 손글씨
- 십자수
- 안정
- 필수적
- 요소
- 용이하다
- 정적
- 바둑

• 때우다

1. 다음에 맞는 여가 활동의 예들을 쓰십시오.

지식과 교양을 높이는 여가 활동	
건강을 위한 여가 활동	
휴식을 위한 여가 활동	

2. (   )에 알맞은 것을 고르십시오.

① 즐겁고 보람과 만족을 느낄 수 있는
② 독특하고 고급스러워서 남들이 부러워할 만한
③ 자격증을 따는 데에 도움이 되어 취업에 영향을 주는
④ 할 일이 없는 사람에게 시간을 재미있게 때울 수 있는

3. 이 글의 내용과 맞지 않는 것을 고르십시오.

① 과거에 비하면 최근에는 휴식을 위한 여가 활동을 많이 즐긴다.
② 지식과 교양을 위한 여가 활동은 스트레스 해소에 도움이 된다.
③ 건강을 위한 여가 활동은 사회의 다양한 계층에 따라서 다르다.
④ 휴식을 위한 여가 활동은 예나 지금이나 꾸준히 인기를 얻고 있다.

쓰기

※ 여가 활동에 대해 글을 써 보십시오.

1. 추천하고 싶은 여가 활동에 대해 생각해 보십시오.

1) 어떤 여가 활동을 추천하고 싶습니까?
2) 어떤 대상에게 추천하고 싶습니까? 그 이유는 무엇입니까?
3) 그 여가 활동의 장점은 무엇입니까?

2. 생각한 내용을 바탕으로 개요를 완성해 보십시오.

처음	(추천하고 싶은 여가 활동의 대략적인 소개)
중간	(이 여가 활동을 추천하고 싶은 대상과 이유)
	(여가 활동의 장점)
끝	그러므로 (　　　　　)을 통해서 앞으로 더욱 (　　　　　) 생활을 누리기를 바란다.

3. 개요를 바탕으로 글을 써 보십시오.

문화 이해하기

조상들의 여가 생활

- 양반
- 서민
- 흥
- 돋우다
- 능률
- 풍년

옛날에는 친척이나 가족들이 한 집에 살거나 가까운 곳에 살면서 서로 도우며 생활했다. 게다가 마을 사람들과 함께 농사일을 주로 하다 보니 마을 중심의 놀이를 많이 했다. 그래서 우리 조상들은 가족, 친척, 이웃 사람들과 함께 하는 여가 생활을 주로 즐겼다.

우리 조상들의 여가 생활은 양반과 서민의 여가 생활로 나눌 수 있는데 양반들은 마음을 닦고 교양을 쌓을 수 있는 여가 생활을 주로 즐겼다. 대표적인 예로는 장기, 뱃놀이, 거문고 연주, 서예, 사군자 그리기 등이 있다. 반면 서민들은 활동적이면서 여러 사람들과 함께하는 여가 생활을 즐겼는데 그것에는 연날리기, 제기차기, 씨름, 농악놀이 등이 있다. 또한 성별에 따라 여가 생활도 달랐는데 남자들은 씨름, 장기, 바둑, 윷놀이를 즐겼으며 여자들은 수놓기, 널뛰기, 그네뛰기, 강강술래 등의 여가 생활을 하였다. 한편 아이들은 제기차기, 팽이치기, 공기놀이, 투호놀이, 연날리기 등을 하곤 하였다.

우리 조상들이 이러한 여가를 즐긴 데에는 가족이나 이웃들과 놀고 즐기려는 목적도 있었지만 힘든 농사일을 할 때 흥을 돋우어 일의 능률을 올리거나 풍년을 빌기 위해서, 또는 가정과 마을의 평화를 빌기 위해서였다.

※ 이야기해 보십시오.

1. 여러분의 나라에는 어떤 명절놀이가 있습니까? 언제, 어디에서, 어떻게 즐기는 명절놀이인지 소개해 봅시다.
2. 한국의 명절놀이 중 한 가지를 선택하여 즐겨 봅시다.

조상들의 놀이 문화

연날리기

윷놀이

투호놀이

씨름

그네뛰기

널뛰기

강강술래

소싸움

쥐불놀이

팽이치기

썰매타기

제기차기

바둑

장구, 거문고

농악놀이

제6과 연애와 결혼

준비하기 1
변명하기
V-(으)ㄴ/는 탓, N인 탓
N더러/보고

준비하기 2
소식 전달하기
N(이)야
여간 V-지 않다, 여간 N이/가 아니다

듣기
라디오 사연 듣기

말하기
그림 보고 이야기 만들기

읽기
새로운 사회 현상에 대해 분석하기

쓰기
결혼에 대한 견해 쓰기

문화 이해하기
한국의 전래동화

6 연애와 결혼

준비하기1 416

변명하기

- 일급
- 뜸(을) 들이다
- 반하다
- 빈틈없다
- 다정다감하다
- 천생연분
- 입에 침이 마르다
- 눈에 콩깍지가 씌었다
- 양다리(를) 걸치다
- 눈치채다
- 끈질기다
- 가슴이 뜨끔하다
- 시치미(를) 떼다
- 마지못하다
- 이래
- 입이 천 근 같다

메 이: 수지야, 지난주에 소개팅을 했다면서?

최수지: 그거 일급비밀인데 누구한테 들었어?

메 이: 이 세상에 비밀이 어디 있냐? 지성이가 커피숍 앞을 지나 가다가 우연히 너를 봤다고 하더라. 너 남자친구도 있으면서 어떻게 된 거야?

최수지: 원래 다른 친구가 하기로 한 소개팅인데 갑자기 그 친구에게 일이 생긴 탓에 내가 대신 나가게 된 거야.

메 이: 아, 그런 사연이 있었구나. 그런데 지성이 말로는 두 사람이 상당히 잘 어울린다고 하던데. 그 사람 어땠어?

최수지: 음……. 그게…….

메 이: 뭔데 이렇게 뜸을 들여? 어서 말해 봐.

최수지: 사실은 소개팅을 하고 나서 고민이 생겼어. 그 남자를 처음 만난 순간부터 가슴이 두근거리고 설레는 거야. 남자친구와는 고등학교 때부터 알던 사이인데 이런 가슴 떨림은 없었거든.

메 이: 어머, 너 그 사람 외모에 첫눈에 반했구나.

최수지: 무슨 소리야! 나 외모만 따지는 사람 아니야. 뭐랄까……. 서로 느낌이 통한다고나 할까? 요즘 남자친구의 까다롭고 빈틈없는 성격에 숨이 막힐 지경이어서 헤어질까 고민이었거든. 그런데 그 남자는 다정다감한 성격에 대화도 잘 통하고 나를 배려해 주는 면도 있더라고. 게다가 유머 감각까지 풍부한 게 내 마음을 사로잡은 거 같아. 그래서 사실은 소개팅 후에 몇 번 더 만났어.

메 이: 혹시 그 사람이 네 천생연분 아닐까? 몇 번 만났을 뿐인데 이렇게 입에 침이 마를 정도로 칭찬을 하는 걸 보니 이미 눈에 콩깍지가 씌었네. 그런데 남자친구가 이 사실을 알면 어쩌려고? 두 사람을 동시에 만나는 건 양다리 걸치는 거라고 들었는데…….

최수지: 그렇지 않아도 눈치챈 것 같아서 걱정이야. 며칠 전에 내 휴대폰에서 그 남자의 이름을 보더니 나더러 누구냐고 끈질기게 묻는 거야.

메 이: 정말? 너 가슴이 뜨끔했겠구나. 그래서 뭐라고 했어?

최수지: 뭐라고 하긴. 그냥 아는 친구라고 시치미를 떼니까 마지못해 믿어 주더라. 그러니까 오늘 우리가 한 얘기는 너만 알고 다른 사람에게 절대 얘기하면 안 돼. 비밀 꼭 지켜.

메 이: 걱정하지 마! 이래 봬도 나 입이 천 근 같은 사람이야.

- 안개
- 폭등
- 잘되면 제 복 못되면 조상탓

1. V-(으)ㄴ/는 탓, N인 탓

: 부정적인 결과가 생긴 원인이나 이유를 나타낸다.

1) 가: 유난히 아이가 낯가림이 심하네요.
   나: 엄마하고만 지내는 탓에 다른 아이들보다 낯가림이 심한 편이에요.
2) 가: 어쩌다 몸살이 났어요?
   나: 매일 과로한 탓으로 몸살이 났나 봐요.
3) 가: 왜 비행기가 아직 출발을 못 하지요?
   나: 안개가 많이 낀 탓에 출발을 못 하고 있대요.
4) 가: 왜 이렇게 집이 지저분해요?
   나: 혼자 사는 탓에 청소를 잘 안 해요.
5) 가: 배추 값이 많이 올랐네요.
   나: 김장철인 탓에 채소 값이 폭등했어요.

✓N 탓

1) 가: 이건 제 실수가 아니라 오래된 장비 탓이에요.
   나: 잘되면 제 복이고 못되면 조상 탓이라더니…….
2) 가: 죄송해요. 모두 제 잘못이에요.
   나: 아니에요. 이건 자르갈 씨 탓이 아니에요.

2. N더러/보고

: (말할 때 인용하는 문장에서) 사람을 나타내는 명사와 함께 사용하여 행동의 영향을 받는 사람임을 나타낸다.

1) 가: 요즘 발음이 부쩍 좋아졌네요.
   나: 그래요? 선생님께서도 저보고 발음이 좋아졌다고 하셨어요.
2) 가: 어머니께서 왜 동생한테 전화하셨어요?
   나: 동생보고 몇 시에 집에 들어올 거냐고 물으시더라고요.
3) 가: 친구가 너에게 무슨 부탁을 했는데?
   나: 나더러 대학교 입학 자료를 좀 구해 달라고 하더라고.
4) 가: 누가 이 일을 시켰어요?
   나: 사장님이요. 저더러 오늘까지 다 하라고 하셨어요.
5) 가: 부산에 여행 가나 봐요.
   나: 메이 씨가 저더러 부산에 같이 가자고 했어요.

연습하기

1. 다음과 같이 이야기해 보십시오.

매일 늦게 자다 / 수업에 지각하다
지각하지 않다 / 규칙적인 생활을 하다.
가: 매일 늦게 자**는 탓에** 수업에 지각을 해**요.**
나: 지각하지 않**도록** 규칙적인 생활을 하**세요.**

• 건망증
• 곰팡이

1) 평소에 과식을 하다 / 위가 나빠졌다
위가 나빠지지 않다 / 소식을 하다
2) 건망증이 심하다 / 실수가 잦다
실수하지 않다 / 메모를 하다
3) 새벽에 눈이 왔다 / 운전하기가 힘들다
사고가 나지 않다 / 조심히 운전하다
4) 여러 명이 같이 살다 / 항상 시끄럽다
타인에게 방해가 되지 않다 / 신경을 쓰다
5) 장마철이다 / 비가 자주 오다
곰팡이가 생기지 않다 / 환기를 자주 하다

2. 다음과 같이 이야기해 보십시오.

아이가 왜 이렇게 들떠 있다
엄마가 아이 / 시험을 잘 봤다고 칭찬하다
가: 아이가 왜 이렇게 들떠 있**어요?**
나: 엄마가 아이**더러(보고)** 시험을 잘 봤다고 칭찬**해서요.**

• 들뜨다
• 대비
• 미혼

1) 저렇게 비싼 노트북을 왜 사다
백화점 직원이 저 / 가격 대비 품질이 좋다고 하다
2) 저 사람이 왜 이렇게 기분 나빠하다
아직 미혼인 사람 / 애가 몇 살이냐고 하다
3) 집에 안 가고 뭐하다
선생님이 저 / 아멜리 씨를 도와주라고 하시다
4) 웬 콘서트 표이다
조카가 나 / 콘서트에 같이 가자고 하다
5) 수지 씨가 그 일에 대해 아무 말도 안하는 이유가 무엇이다
제가 수지 씨 / 비밀이니까 이야기하지 말라고 하다

준비하기2 417

- 마침
- 국수(를) 먹다
- 하객
- 금상첨화
- 무뚝뚝하다
- 헌 짚신도 짝이 있다

오위노: 선생님, 안녕하세요?

선생님: 아, 오위노! 마침 잘 됐네. 그렇지 않아도 연락하려던 참이었어.

오위노: 저한테요? 무슨 일인데요?

선생님: 3급을 가르치시는 유지은 선생님께서 드디어 다음 주에 국수를 먹여 주신대.

오위노: 네? 저한테 국수를 대접해 주신다고요? 그게 무슨 말이에요?

선생님: 유 선생님께서 드디어 결혼하신다는 말이야. 한국에서는 결혼할 때 하객들에게 국수를 대접하는 게 전통이거든. 만약 다른 사람에게 '언제 국수 먹어요?'라고 하면 언제 결혼하냐는 말이야. 유 선생님께서 너더러 시간이 있으면 와서 식사라도 하고 가라고 하셨어.

오위노: 아, 그런 뜻이군요. 당연히 가고말고요. 유 선생님께서 올해 안에 결혼하겠다는 결심을 밝히시긴 하셨지만, 이렇게 빨리 날을 잡으시다니 정말 놀랍고 부러워요.

선생님: 왜? 너도 빨리 결혼하고 싶은 모양이지?

오위노: 저도 마음이야 굴뚝같지만 마음에 드는 이상형을 만나기가 여간 어려운 게 아니에요. 결혼은커녕 여자 친구조차 없는걸요.

선생님: 어떤 여자를 찾고 있는데?

오위노: 일단 외모는 갸름한 얼굴에 긴 생머리였으면 좋겠어요. 키가 크고 날씬하면 금상첨화겠지요. 또 제가 무뚝뚝한 편이니까 성격은 다정다감하고 애교가 많았으면 좋겠어요. 이왕이면 저와 취미도 같고 대화도 통하면 좋겠고요.

선생님: 오위노! 눈이 너무 높은 거 아니야? 그런 조건에 딱 맞는 사람을 만나기란 하늘의 별 따기야.

오위노: 하하하. 그런가요? 하지만 헌 짚신도 짝이 있다는데 제 이상형도 어디엔가 분명히 있을 거라고 믿어요. 선생님, 혹시 이런 사람을 만나거든 저한테 꼭 소개해 주셔야 해요.

3. N(이)야

: 앞말을 강조할 때 사용한다.

1) 가: 교통사고를 당한 탓에 차를 폐차시켜야 해요.
   나: 차야 또 사면 되니까 걱정하지 마세요.
2) 가: 약속을 못 지켜서 미안해요. 다음에 같이 식사합시다.
   나: 괜찮아요. 밥이야 시간 날 때 먹으면 되죠.
3) 가: 성실함으로야 김 과장을 따라올 사람이 없죠.
   나: 그야 저도 인정하는 바예요.
4) 가: 이렇게 공부를 안 해서야 대학에 갈 수 있겠니?
   나: 앞으로 열심히 하겠습니다.
5) 가: 반갑다, 친구야! 졸업하고 나서 처음 만나는 거 같네.
   나: 이제야 널 만나는구나.

• 폐차

4. 여간 V-지 않다, 여간 N이/가 아니다

: 매우 그렇다는 의미를 강조한다.

1) 가: 메이 씨가 이번 말하기 대회에서 1등을 했다면서요?
   나: 네, 메이 씨는 외국 사람이지만 한국말을 여간 잘하지 않아요.
2) 가: 자르갈 씨, 한국에 온 지 벌써 1년이 흘렀어요?
   나: 네, 시간이 쏜살처럼 여간 빨리 가지 않네요.
3) 가: 지성 씨가 대학교에 수석으로 합격했다면서요?
   나: 네, 지성 씨는 여간 똑똑한 학생이 아니거든요.
4) 가: 방학 때 고향에 가서 어땠어요?
   나: 오래간만에 고향에 가니 감회가 여간 새로운 게 아니었어요.
5) 가: 처음 한국에 왔을 때 어땠어요?
   나: 한국 사람과 의사소통하는 것이 여간 힘든 게 아니었어요.

• 쏜살
• 수석
• 감회
• 의사소통

연습하기

1. 다음과 같이 이야기해 보십시오.

• 거창하다
• 정성껏
• 숨기다

우리 아이가 공부를 못해서 걱정이다
공부는 못하다 / 성격은 좋다
가: 우리 아이가 공부를 못해서 걱정**이에요.**
나: 공부는 못하**지만** 성격**이야** 좋**잖아요.**

1) 룸메이트가 밤마다 게임을 해서 신경이 쓰이다
   컴퓨터 게임을 늦은 시간에 하는 것은 안 좋다 / 재미는 있다
2) 그 사람은 실천은 못하는데 말은 거창하다
   실천하기는 어렵다 / 말은 쉽다
3) 정성껏 준비했는데 맛있을지 모르겠다
   호텔 요리보다 못하겠다 / 요리 솜씨는 당신을 따라올 사람이 없다
4) 돈이 좀 많았으면 좋겠다
   돈이 많으면 좋겠다 / 돈은 있다가도 없고 없다가도 있는 것이다
5) 가능하다면 끝까지 숨기고 싶다
   숨기고 싶겠다 / 진실은 언젠가 밝혀지는 법이다

2. 다음과 같이 이야기해 보십시오.

• 복권
• 당첨되다

복권에 당첨됐다
네, 그런데 기대하지 않았던 일이라 놀랐다
가: 복권에 당첨됐**다면서요?**
나: 그런데 기대하지 않았던 일이라 **여간** 놀라**지 않**았**어요.**

1) 성적이 떨어져서 걱정이 많다
   한국어를 공부하는 게 너무 힘들다
2) 아내가 요리를 잘하다
   요리학원을 꾸준히 다니더니 아주 잘하다
3) 제주도에 여행을 다녀왔다
   5월이라서 그런지 사람이 정말 많다
4) 다음 달에 유학을 떠나다
   이것저것 준비하느라 아주 바쁘다
5) 사장님께서 집을 또 샀다
   우리 사장님은 매우 부자이다

듣기 418

라디오 사연 듣기

※ 다음을 잘 듣고 물음에 답해 보십시오.

1. 남자는 왜 라디오 프로그램에 사연을 보냈습니까?

2. 들은 내용과 다른 것을 고르십시오.

① 남자는 평소에 이 라디오 프로그램을 즐겨 들었다.
② 남자와 여자는 서로 다른 직장에서 근무했다.
③ 남자가 먼저 사랑을 고백하여 사귀게 되었다.
④ 두 사람은 아직 결혼 준비를 하나도 못했다.

3. 들은 내용에 나타난 남자의 심정으로 맞는 것을 고르십시오.

① 착잡하다 ② 든든하다 ③ 설레다 ④ 혼란스럽다

4. 여러분은 어떤 청혼을 하고 싶습니까? 또는 어떤 청혼을 받고 싶습니까?

- 애청자
- 예비
- 청혼
- 사회복지
- 재단
- 흔쾌히
- 버팀목
- 감미롭다
- 혼란스럽다

말하기

※ 다음 만화를 보고 사랑 이야기를 만들어 이야기해 보십시오.

읽기

새로운 사회 현상에 대해 분석하기

※ 다음을 읽고 물음에 답해 보십시오.

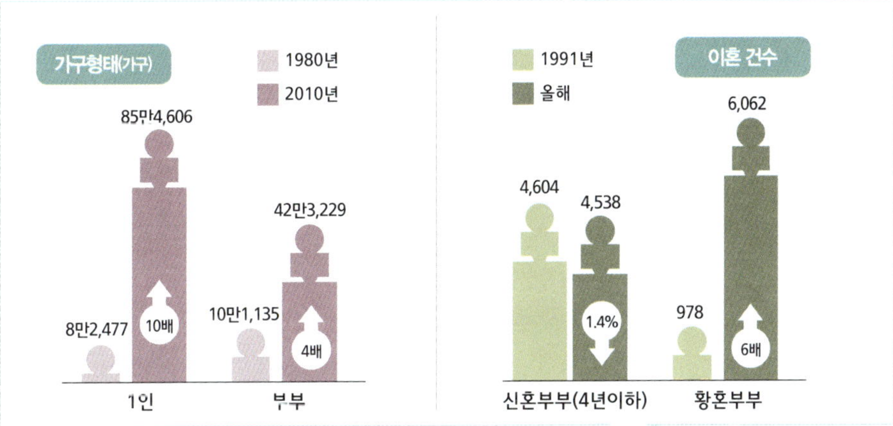

서울시가 통계청의 자료를 활용해서 서울의 가구 형태, 결혼과 이혼에 대한 인식 등 가족문제와 관련한 자료를 분석하였다. 그 결과 지난 30년간 혼자 사는 1인 가구는 8만 2,400가구에서 85만 4,600가구로 10배 증가했다. 같은 기간 자녀 없이 부부만 사는 가구는 1980년 10만 1,130가구에서 2010년 42만 3,200가구로 4배 이상 증가했다. 서울시 전체 350만 가구의 3분의 1이 1인 가구이거나 부부 가구인 셈이다.

전통적인 가족형태의 변화는 결혼관의 변화에서도 나타난 것으로 보인다. 2008년 통계청 자료를 보면 결혼은 필수가 아닌 선택사항이라는 생각을 한 서울시민의 비율은 27.7%였지만 올해는 33.6%로 늘었다. 이혼에 부정적 인식도 점차 줄고 있다. 2008년 당시 31.9%의 시민들이 이혼을 할 수도 있다고 답한 반면에 올해는 그 비율이 37.8%로 높아졌다.

황혼이혼이 늘고 있는 것도 통계로 입증되었다. 황혼이혼이란 20년 이상 결혼생활을 한 노년기 부부들의 이혼을 말한다. 황혼이혼은 충동이나 홧김에 저지르는 것이 아니라 그동안 참아온 것에 대한 반란이며 늙어서라도 인간답게 살아 보려는 몸짓이다. 이러한 황혼이혼 건수는 1991년 987건에서 올해 6,062건으로 6배 이상 늘어난 것으로 조사되었다. 반면에 4년 이하 신혼부부의 이혼 건수는 같은 기간 4,604건에서 4,538건으로 오히려 줄어들었다.

- 통계청
- 결혼관
- 황혼
- 입증되다
- 노년기
- 충동
- 홧김
- 반란
- 가치관
- 실현
- 의무
- 구속
- 경향
- 권위적
- 억압
- 심리
- 부유층
- 분할
- 빈곤층
- 상실하다
- 연말
- 복원하다

이렇듯 황혼이혼이 증가하고 있는데 그 원인은 다음과 같다. 첫째, 여성들의 가치관 변화 및 자기목표 실현이다. 자녀들에 대한 부모로서의 의무가 끝나면서 늙어서는 가벼운 마음으로 자신만의 삶, 자기실현의 가능성을 높게 보고 이혼을 시도하는 것이다. 둘째, 구속 없는 부부의 삶을 추구하려는 경향이다. 권위적인 남성들의 억압에서 벗어나려는 심리가 많이 작용하여 자유로운 삶을 추구하려는 것이다. 셋째는 경제적인 문제이다. 부유층의 황혼이혼은 재산 분할 때문에 이혼하는 경우가 많고, 빈곤층의 황혼이혼은 경제력을 상실한 배우자 때문인 것으로 나타났다.

서울시는 이러한 통계를 기준으로 연말까지 가족 공동체를 복원하는 다양한 프로그램을 개발하는 한편 새로운 가족 형태에 맞는 정책을 개발하기로 했다.

• 절반

1. 이 글의 제목으로 가장 알맞은 것을 고르십시오.

① 결혼은 필수가 아닌 선택사항
② '신혼부부의 이혼' 무엇이 문제인가?
③ 가족 공동체를 복원하는 프로그램이 뜨고 있다.
④ 서울 30년 새 '1인 가구 10배, 부부 가구 4배' 늘어…

2. 황혼이혼에 대한 설명으로 알맞은 것을 고르십시오.

① 올해 황혼이혼은 작년보다 6배 감소했다.
② 황혼이혼은 나이가 들어 갑자기 하는 경우가 많다.
③ 자녀들보다는 자신의 삶을 살려고 황혼이혼을 한다.
④ 최근에는 부유층보다 빈곤층의 황혼이혼이 더 많다.

3. 이 글의 내용과 같은 것을 고르십시오.

① 서울시 전체의 절반이 1인 가구이다.
② 이혼에 대한 부정적인 생각은 아직도 변화가 없다.
③ 결혼은 반드시 해야 한다는 생각이 늘었다.
④ 신혼부부의 이혼보다 황혼부부의 이혼이 증가하였다.

쓰기

결혼에 대한 견해 쓰기

※ 결혼관에 대해 글을 써 보십시오.

1. 결혼에 대해 생각해 보십시오.

1) 여러분은 결혼이란 무엇이라고 생각합니까?
2) 결혼은 '필수'라고 생각합니까? 아니면 결혼은 '선택'이라고 생각합니까?
3) 그렇게 생각하는 이유는 무엇입니까?

2. 생각한 내용을 바탕으로 개요를 완성해 보십시오.

처음	(내가 생각하는 결혼의 정의)
중간	(나의 선택과 이유 및 조건)
끝	

3. 개요를 바탕으로 글을 써 보십시오.

문화 이해하기

- 칠석
- 애틋하다
- 옛적
- 몰다
- 목동
- 베
- 짜다
- 선녀
- 참하다
- 벌
- 은하수
- 애태우다
- 하염없이

견우와 직녀

음력 7월 7일을 칠석이라 하는데 이 날은 1년 동안 서로 떨어져 있던 견우와 직녀가 만나는 날이라고 합니다. 그들의 애틋한 사랑에 대한 전설이 다음과 같이 내려옵니다.

옛날 옛적 하늘나라에 견우라는 총각과 직녀라는 처녀가 살았습니다. 견우는 소를 모는 목동이었고, 직녀는 베를 짜는 솜씨가 뛰어난 선녀였습니다. 두 사람이 어찌나 자기 일을 열심히 하는지 하늘나라 사람들이 모두 좋아했습니다. 어느 날 하늘나라 임금님이 산책을 나왔다가 혼자 베를 짜고 있는 직녀를 보고 생각했습니다.

'일만 하느라 제 짝을 만날 기회도 없구나. 어쩜 저렇게 참할까? 견우와 직녀를 짝으로 맺어 주면 좋겠구나.'

임금님이 다리를 놓아 견우와 직녀는 화창한 봄날 결혼식을 올렸습니다. 임금님은 물론이고 선녀와 신하들도 모두 축하해 주었습니다. 그러나 견우와 직녀는 결혼을 하고 나서 너무 행복한 탓에 일은 하지 않고 놀고먹으며 게으름을 피우기 시작했습니다. 두 사람이 놀러 다니는 동안 견우가 몰던 소들은 남의 밭을 다 망쳐 놓고, 사람들은 옷을 지을 베가 없어서 난리였습니다. 견디다 못한 임금님은 더 이상 두고 볼 수가 없어서 견우와 직녀에게 벌을 내렸습니다.

"이제부터 견우는 동쪽 하늘에서 살고, 직녀는 서쪽 하늘에서 살도록 하여라!"

두 사람은 눈물을 흘리며 헤어지고 말았습니다. 그래서 이 두 사람은 서로 그리워하면서도 건널 수 없는 은하수를 사이에 두고 애태우면서 지내야 했습니다. 견우와 직녀는 일년 중 단 하루만 얼굴을 볼 수 있었는데 그 날이 바로 칠월칠석날이었습니다. 하지만 칠월칠석날이 되어도 은하수를 건널 수 없어 서로 애타게 부르기만 했습니다.

견우와 직녀는 그렇게 서로 바라보며 눈물만 하염없이 흘렸습니다. 이 눈물이 비가 되어 이 날에는 항상 비가 온다고 합니다.

※ 이야기해 보십시오.

1. 그 뒤에 이어질 내용을 상상하여 이야기해 봅시다.

2. 여러분 나라에도 전해 내려오는 사랑이야기가 있습니까?

M.E.M.O.

제7과 문화 차이

준비하기 1
감정 표현하기
AV-느니[2], DV-(으)니, N(이)니
V-(으)ㄴ/는 법이다, N인 법이다

준비하기 2
문화 차이 설명하기
AV-고서
V-(으)ㄹ지도 모르다, N(이)ㄹ지도 모르다

듣기
문화 차이로 인한 조언 구하기

말하기
문화 차이에 대해 조언하기

읽기
문화 차이에 대해 주장하는 글 읽기

쓰기
문화 차이 비교하기

문화 이해하기
동서양에 따른 문화와 사고의 차이

7 문화 차이

준비하기1 419

감정표현하기

- 속(이) 시원하다
- 하물며
- 먹을거리
- 어김없이
- 감지덕지
- 서슴없이
- 참견하다
- 썩
- 무관심하다
- 사적

메 이: 안색이 안 좋아 보이는데 무슨 안 좋은 일이라도 있었어요?

아멜리: 별일 아니에요.

메 이: 그러지 말고 속 시원하게 얘기해 보세요.

아멜리: 메이 씨도 알다시피 한국에서 제 외모는 누가 봐도 외국인이잖아요.

메 이: 그렇죠. 피부색, 머리색, 하물며 눈동자 색까지 차이가 있으니 한눈에 외국인인 것을 알 수 있죠.

아멜리: 바로 그게 문제예요. 간단하게 먹을거리를 사러 시장이나 슈퍼에 가면 어김없이 받는 질문들이 있어요.

메 이: 한국어를 잘하느니 한국에서 산 지 얼마나 됐느니 뭐 그런 거요? 그런 거라면 저도 경험이 있어요. 제 발음에서 외국인 티가 나서 그런지 꼭 물어보더라고요.

아멜리: 그냥 거기까지만 물어보면 감지덕지죠. 처음 만난 사람에게 어디 사냐, 남자친구는 있냐, 결혼은 했냐, 이런 것까지 서슴없이 물어 보는 게 문제예요.

메 이: 음……. 조금 개인적인 질문이긴 하네요.

아멜리: 몇 번이나 비슷한 경험이 있었는데 개인적인 일까지 참견하는 건 기분이 썩 좋지 않더라고요.

메 이: 제 생각에는 관심의 표현인 것 같아요. 저는 무관심한 것보다 가끔 좀 곤란한 질문을 해도 관심을 가져 주는 게 좋던데요.

아멜리: 아무리 관심의 표현이라도 사적인 질문은 좀 피해 줬으면 하는 바람이에요. 처음 한국에 왔을 때는 잘 못 알아들어서 그냥 웃기만 했었는데 이제는 정말 당황스러워요.

메 이: 어디에서나 문화차이가 존재하는 법이죠. 너무 깊게 생각하지 말고 가볍게 웃으며 넘기세요.

1. AV-느니[2], DV-(으)니, N(이)니

: 서로 반대되거나 다른 생각, 의견 등을 여러 개 말하고 싶을 때 사용한다.

1) 가 : 이번 휴가 때 어디로 갈지 아직도 못 정했어요?
   나 : 산으로 가느니 바다로 가느니 계곡으로 가느니 의견들이 분분해서요.
2) 가 : 각각 장단점이 있으니까 어떤 걸 골라야 할지 모르겠어요.
   나 : 이게 좋으니 저게 좋으니 따지지 말고 아무거나 선택하세요.
3) 가 : 이번에는 보고서 작성에서 발표까지 정말 완벽했어요.
   나 : 글쎄요. 다른 사람이 잘했느니 못했느니 해도 저는 스스로 부족하다고 생각되는 걸요.
4) 가 : 요즘 우리 부부는 서로 싸우기에 바빠요.
   나 : 미우니 고우니 해도 어차피 배우자밖에 없으니까 후회하지 말고 있을 때 잘 해요.
5) 가 : 설악산의 풍경이 그렇게 좋대. 제주도도 멋있다고 하더라.
   나 : 설악산이니 제주도니 말만 하지 말고 어디든 떠나자.

- 분분하다
- 완벽하다

2. V-(으)ㄴ/는 법이다, N(이)ㄴ 법이다

: 앞말의 동작이나 상태가 이미 그렇게 정해져 있다거나 그런 것이 당연하다는 의미를 나타낸다.

1) 가 : 독립하니까 자유롭고 편한데 스스로 책임져야 할 일이 많아서 힘들어요.
   나 : 자유에는 항상 책임이 따르는 법이지요.
2) 가 : 아무리 절판된 책이라고 해도 너무 비싸네요.
   나 : 구하기 어려운 건 그만큼 값도 비싼 법이에요.
3) 가 : 이 약은 너무 써서 못 먹겠어요.
   나 : 원래 입에 쓴 약이 병에는 좋은 법이니까 참고 드세요.
4) 가 : 매번 같은 실수를 반복해서 너무 힘들어요.
   나 : 실수가 성공을 만드는 법이니까 너무 실망하지 마세요.
5) 가 : 이거 싸다고 해서 샀는데 벌써 고장이 났어요.
   나 : 원래 싼 게 비지떡인 법이에요.

- 절판되다
- 입에 쓴 약이 병에는 좋다
- 싼 것이 비지떡

연습하기

1. 다음과 같이 이야기해 보십시오.

- 불평
- 능청

지성 / 숙제를 정말 싫어하다
숙제할 생각도 없다 / 숙제가 많다 / 적다 / 불평만 하다
가: 지성 **씨가** 숙제를 정말 싫어하**는 것 같아요.**
나: **맞아요.** 숙제할 생각도 없**으면서** 숙제가 많**으니** 적**으니** 불평만 하**더라고요.**

1) 메이 / 이사할 집을 아직도 못 정했다
이 집 저 집을 보러 다니다 / 화장실이 좁다 / 방이 좁다 / 말만 많다
2) 아멜리 / 우유부단하다
점심때는 메뉴판만 보다/이 음식을 시키다 / 말다 / 결정을 못하다
3) 자르갈 / 연기를 잘하다
여자 친구와 헤어진 게 슬프지도 않다 / 마음이 아프다 / 슬프다 / 능청을 떨다
4) 파하드 / 좀 달라졌다
돈도 없다 / 옷 / 신발 / 잔뜩 사다
5) 로빈 / 요즘 무슨 고민이 생겼다
시간도 많다 / 공부 / 운동 / 아무 것도 하기 싫어하다

2. 다음과 같이 이야기해 보십시오.

- 조급하다

빨리 하다 / 시간 내에 일을 마칠 수 있다
서두르면 실수하다 / 여유를 가지다
가: 빨리 하**면** 시간 내에 일을 마칠 수 있**어요.**
나: 서두르면 실수하**는 법이니까** 여유를 가지**세요.**

1) 돈을 조금만 더 투자하다 / 큰돈을 벌 수 있다
지나친 욕심은 화를 부르다 / 욕심을 부리지 말다
2) 외국에 가게 되다 / 그 사람을 혼자 두고 떠나야 할 것 같다
눈에서 멀어지면 마음도 멀어지다 / 함께 가다
3) 문제가 생기다 / 아무 생각도 할 수 없다
해결할 방법은 언제나 있다 / 잘 생각해 보다
4) 사실을 말하다 / 그 사람이 화를 낼 것 같다
세상에 비밀은 없다 / 솔직하게 말하다
5) 이번 실험도 결과가 좋지 않다 / 이 연구를 포기하려고 하다
실패는 성공의 어머니이다 / 조급하게 생각하지 말다

준비하기2 420

문화 차이 설명하기

- 빈말
- 무모하다

박지성: 어, 아멜리. 수업 끝나자마자 점심 먹고 와서 또 공부하는 거야?

아멜리: 아니, 아직 점심 전이야. 그렇지 않아도 너무 배가 고파서 커피라도 한잔할까 하고 나왔어.

박지성: 그렇게 배가 고픈 사람이 왜 아직도 점심을 안 먹고 있어? 끼니를 거르는 건 건강에도 안 좋은데.

아멜리: 아까 수업 끝나고 복도에서 지난 학기 담임선생님을 만났거든. 선생님께서 4급 공부가 힘들지 않냐고 하시면서 밥 한번 먹자고 하시잖아? 그래서 기다리고 있는 거야. 전화한다고 하시고서는 벌써 2시가 넘었는데 왜 이렇게 연락이 없지? 아, 배고파 죽겠는데…….

박지성: 아멜리, 그건 선생님이 그냥 빈말하신 거야. 한국 사람들이 인사처럼 하는 말이지. 정확히 날짜와 시간도 정하지 않았는데 연락을 기다리는 건 좀 무모한 것 같은데…….

아멜리: 빈말? 하지만 전화한다고 하셨는데……. 조금 더 기다리면 전화를 하실지도 모르잖아.

박지성: 너도 참, 그건 지금이 아니더라도 언젠가 전화해서 꼭 밥을 먹자는 얘기지. 마음은 있지만 당장은 바빠서 약속할 수 없으니까 얘기만 먼저 한 거라고. 이런 걸 '빈말'이라고 해.

아멜리: 아, 그래? 세상에! 나는 그런 줄도 모르고 밥도 안 먹고 기다렸잖아. 먼저 먹을 걸 그랬네.

박지성: 그래도 선생님이 널 생각해서 그러신 거니까 이해해. 나중에 기회가 있을 때 만나면 되지. 그 대신 나랑 같이 간단하게 뭐라도 먹으러 가자.

표현 1. AV-(으)ㄹ걸 그랬다

1) 수업 시간에 선생님께 물어볼걸 그랬어요.
2) 좋아한다고 말을 할걸 그랬어.

• 장갑
• 당당하다

3. AV-고서

: 앞의 행동을 한 뒤에 혹은 그것을 방법으로 하여 뒤의 행동을 함을 나타낸다.

1) 가 : 결혼이라는 큰일을 치르고서 힘이 다 빠져버렸어요.
나 : 몸살이 나지 않게 조심하세요.
2) 가 : 기분 전환을 하고 싶은데 뭘 하면 좋을까요?
나 : 자동차를 몰고서 좀 달려 보는 건 어때요?
3) 가 : 밖이 굉장히 추운가 봐요?
나 : 네, 밖이 굉장히 추우니까 목도리를 하고 장갑을 끼고서 나가세요.
4) 가 : 사실을 알고서도 어떻게 모르는 체할 수 있어요?
나 : 저는 일이 이렇게까지 커질 줄 몰랐죠.
5) 가 : 자르갈이 사실을 밝히고서 당당하게 교실 밖으로 나갔어요.
나 : 사실대로 말하기 힘들었을 텐데 용기가 대단하구나.
6) 가 : 오늘 두 사람 분위기가 이상한데요? 다퉜나 봐요.
나 : 서로 다투고서 안 다퉜다고 하더라고요.

• 예방주사
• 유통기한
• 수상하다

4. V-(으)ㄹ지도 모르다, N(이)ㄹ지도 모르다

: 앞 내용에 대한 추측을 나타낸다.

1) 가 : 면접 시간이 다가올수록 너무 떨려요.
나 : 적당한 긴장은 오히려 도움이 될지도 몰라요.
2) 가 : 예방주사가 아프다고 해도 얼마나 아프겠어?
나 : 다들 그렇게 말하지만 생각보다 훨씬 더 아플지도 모르잖아요.
3) 가 : 대학 합격자 발표 모두 끝났지요? 제 이름은 없네요.
나 : 네, 그래도 좀 더 기다려 보세요. 추가 발표가 있을지도 몰라요.
4) 가 : 냉장고에 우유 있어?
나 : 응, 그런데 산 지 오래돼서 상했을지도 몰라. 유통기한 꼭 확인하고 마셔.
5) 가 : 어제부터 계속 어깨가 아프네요.
나 : 컴퓨터 작업을 너무 오래 해서 그럴지도 몰라요.
6) 가 : 저 사람이 말도 더듬고 뭔가 좀 수상한 것 같아요.
나 : 그럼 저 사람이 진짜 범인일지도 모르겠네요.

연습하기

1. 다음과 같이 이야기해 보십시오.

결국 사랑한다고 고백했다
창피했다 / 꾹 참다 / 이야기하다

가: 결국 사랑한다고 고백했**다면서요?**
나: **네.** 창피했**지만** 꾹 참**고서** 이야기**했어요.**

- 꾹
- 향신료

1) 끝까지 공부할 것이다
힘들다 / 부모님을 떠올리다 / 끝까지 하기로 결심하다
2) 그 많은 일을 벌써 다했다
양이 많았다 / 모두 끝내다 / 보고까지 하다
3) 전통 음식을 만들었다
재료기 부족했다 / 있는 재료와 향신료를 넣다 / 만들다
4) 그 말이 거짓말이었다
처음에는 몰랐다 / 그 사실을 알다 / 기분이 상하다
5) 공항까지 택시를 타고 왔다
시간이 넉넉했다 / 짐이 많길래 택시를 타다 / 오다

2. 다음과 같이 이야기해 보십시오.

경쟁률이 높다고 하다 / 이번 입사는 포기하다
경쟁률은 높다 / 운 좋게 뽑히다

가: 경쟁률이 높다고 하**니까** 이번 입사는 포기**해야겠어요.**
나: 경쟁률은 높**지만** 운 좋게 뽑**힐지도 몰라요.**

- 경쟁률
- 세차

1) 날씨가 좋다 / 세차를 하다
지금은 맑다 / 오후에 비가 오다
2) 영화표를 예매할 수 없다 / 다른 걸 하다
인터넷에서는 매진이다 / 직접 가면 자리가 있다
3) 이번 시험이 어렵다고 하다 / 다음에 보다
그런 소문은 있다 / 생각보다 쉽다
4) 요즘 시도 때도 없이 비가 오다 / 산책은 나중에 하다
요즘 비가 자주 오다 / 오늘은 안 오다
5) 언제 산 지도 모르는 과자이다 / 버리다
산 지 오래됐다 / 유통기한은 안 지났다

듣기 421

- 수다
- 한입
- 털다
- 짜다
- 대사
- 깍듯이
- 배경
- 역설

※ 다음을 잘 듣고 물음에 답해 보십시오.

1. 남자는 무엇을 하고 있는지 고르십시오.

① 사연을 통해 고민을 털어놓고 있다.
② 사연을 소개하고 함께 고민하고 있다.
③ 문화 차이가 생기는 배경을 역설하고 있다.
④ 문화 차이로 인한 문제에 대해 조언하고 있다.

2. 첫 번째 사연에 대해 맞지 않는 것을 고르십시오.

① 한국에서 살고 있는 프랑스 사람의 사연이다.
② 이 사람은 앞으로도 계속 한국에 살고 싶어 한다.
③ 프랑스 사람들은 식사 시간보다 커피 마시는 시간이 짧다.
④ 이 사람은 한국 사람들처럼 밥을 짧은 시간에 먹는다.

3. 남자가 두 사연에 대해 공통으로 한 말을 고르십시오.

① 상대방이 당황하지 않도록 신중하게 행동해야 한다.
② 아무리 가까운 사이라도 자신의 습관에 대해 설명해야 한다.
③ 모든 사람에게 예의 바르게 인사하는 습관을 길러야 한다.
④ 습관이나 문화의 차이로 인해 갈등이 발생하지 않게 조심해야 한다.

말하기

문화 차이에 대해 조언하기

※ 문화 차이에 대해 이야기해 보십시오.

1. 문화 차이로 인해 생긴 갈등과 오해를 생각해 보십시오.

식사 예절　　개인주의　　반말과 높임말　　손짓　　인사　　화장실

1) 어떤 상황에서 문화차이를 느꼈습니까?
2) 어떤 갈등과 오해가 생겼습니까?
3) 어떻게 해야 갈등과 오해를 풀 수 있습니까?

2. 다음과 같이 이야기해 보십시오.

예

가: 어제 지나가다가 우연히 선생님을 만났**거든.** 반가운 마음에 손을 흔들며 '안녕!' 이렇게 인사했는데 선생님 표정이 안 좋**더라.** 나를 싫어하시는 걸까?

나: 그런 건 아닌 것 같아. 한국에서는 어른을 만났을 때 고개를 숙이면서 인사해야 하잖아. **내 생각에는** 아무리 반가워도 어른을 만났을 때는 예의를 지키는 게 좋**을 것 같아. 앞으로는** 조금 신경 써서 행동해 보**는 게 어떨까?**

읽기

문화 차이에 대해 주장하는 글 읽기

※ 다음을 읽고 물음에 답해 보십시오.

- 우월하다
- 열등하다
- 배척하다
- 애벌레
- 메뚜기
- 곤충
- 미개인
- 취급하다
- 함유하다
- 식자재
- 각광(을) 받다
- 서양
- 자율적
- 동양
- 필기
- 암기
- 위주
- 주입식
- 창조적
- 혁신
- 사고
- 단기간
- 효율적
- 문맹률
- 강요하다
- 수용하다
- 해결책

사람들은 낯선 문화에 대해 다양한 반응을 보인다. 자신의 문화보다 우월하다고 생각하여 무조건 동경하거나 반대로 열등하다고 생각하여 배척하기도 한다. 그러나 문화의 차이를 우월한 것과 열등한 것으로 구분할 수 있을까?

먼저 음식의 경우를 예로 들 수 있다. 어떤 나라에서는 애벌레나 메뚜기와 같은 곤충을 요리해서 먹곤 하는데 이것을 보고 그들을 미개인 취급하는 사람들도 있다. 그러나 실제로 애벌레나 메뚜기는 풍부한 단백질을 함유한 식자재로 각광을 받고 있다.

문화 차이는 공부 방식에서도 나타난다. 서양의 자율적인 토론을 통한 학습은 동양의 필기와 암기 위주의 주입식 교육에 비해 창조적인 생각을 이끌어 낼 수 있다. 현대 사회는 혁신과 창조적 사고가 요구되기 때문에 서양의 교육방식이 우월하다고 판단하기 쉽다. 그러나 여기에도 생각의 차이가 있다. 동양의 주입식 교육은 단기간에 효율적으로 많은 지식을 습득할 수 있다. 이 때문에 주입식 교육을 받은 사람들은 기본 지식수준이 뛰어나고 문맹률도 낮다.

사고방식의 차이는 여러 문화 가운데 어느 것이 옳고 그른지, 어느 것이 우월하고 열등한지를 따질 수 있는 문제가 아니다. 그러므로 어느 것이 옳다고 강요할 수 없다. 어느 곳에서나 고유문화가 존재하므로 서로 다름을 인정하고 이해하는 것이 필요하다. 우리가 가진 장점을 살리면서 다른 문화의 장점을 일부 수용하여 우리의 단점을 보완하는 형태의 해결책을 찾아야 한다.

1. 이 글의 특징으로 맞는 것을 고르십시오.

① 사고방식의 개념에 대해 설명하고 있다.
② 문화는 높고 낮음이 없다고 주장하고 있다.
③ 사회 갈등이 생기는 원인을 분석하고 있다.
④ 문화 차이에서 생기는 문제를 비판하고 있다.

• 개념

2. 이 글의 중심생각을 고르십시오.

① 낯선 문화라도 받아들이고 배워야 한다.
② 열등한 문화는 바꾸기 위해 노력해야 한다.
③ 문화 차이를 인정하고 서로를 이해해야 한다.
④ 문화 차이로 각 나라의 우열을 가려낼 수 있다.

3. 이 글의 내용과 맞지 않는 것을 고르십시오.

① 사람들은 낯선 문화를 배척하는 경우가 있다.
② 곤충을 먹는 것은 수준 낮은 사람의 행위이다
③ 토론 학습은 창의적인 생각을 만들어 낸다.
④ 어디에나 그곳 특유의 문화가 존재한다.

※ 문화 차이에 대하여 비교하는 글을 써 보십시오.

1. 어떤 경우에 문화 차이를 느끼는지 생각해 보십시오.

1) 언제 문화 차이를 느낍니까? 구체적인 예를 들어봅시다.
2) 자기 나라와의 공통점과 차이점은 무엇입니까?
3) 각각의 장점과 단점을 비교하여 설명해 봅시다.

2. 생각한 내용을 바탕으로 개요를 완성해 보십시오.

처음	어느 곳에나 문화 차이는 존재한다.
중간	– (으)ㄴ/는 점은 비슷하지만 – (으)ㄴ/– 는 점에는 차이가 있다. 예를 들어,
	– (으)ㄴ/는 –에 비해 – (는)다는 장점이 있다. 반면에
끝	나와 다르기 때문에 틀렸다고 생각할 수 있지만 각각의 문화에는 장점과 단점이 있다.

3. 개요를 바탕으로 다음과 같이 글을 써보십시오.

문화 이해하기

동서양에 따른 문화와 사고의 차이

미국의 사회심리학자 리처드 니스벳은 『생각의 지도』라는 책에서 동서양 문화와 사고의 차이에 대해 재미있는 사례를 제시하고 그 이유를 설명하고 있다. 아래 내용을 읽으면서 나는 어떤 방식의 사고를 하는지 살펴보자.

서너 살 된 자녀를 키우는 한국 엄마와 미국 엄마가 있다. 장난감 자동차를 두고 자녀와 대화를 한다. 먼저 한국 엄마는 "자동차가 빵빵하고 가네. 붕~ 붕~." 이렇게 얘기하고, 미국 엄마는 "이건 자동차의 바퀴야. 이건 초록색이고." 이렇게 얘기한다. 이 차이는 무엇일까?

또 다른 사례를 찾아보자. 한국인들이 자신과 관련한 이야기를 할 때는 "우리 가족은~", "우리 학교는~"이라고 하지만 미국인들은 "My family~", "My school~"이라고 한다. 이 차이는 무엇일까?

위의 두 사례는 전체적이고 집단적인 사고로 언어 표현을 하는 동양인과 분석적이고 개인주의적인 사고로 언어 표현을 하는 서양인의 차이를 보여 준다.

공자와 아리스토텔레스로 대표되는 동서양 사상의 차이를 이유로 들 수 있다. 동양 철학의 경우에는 관계에 초점을 두어 생각하였고 집단을 고려하여 전체적으로 사고하는 것이 중요하게 다루어졌다. 그러나 서양 철학의 경우, 사물에 대한 관심이 높았고 이로 인해 사물의 본질을 분석하는 성향이 강하고, 이것이 개인주의의 발달에 영향을 주었을 것이다.

그러면 이처럼 동양과 서양의 철학이 다르게 발달한 이유는 무엇일까? 철학적 사고는 삶의 영역인 정치, 경제, 사회 문화와 영향을 주고받으면서 나타난다. 또한 이것은 문화에 영향을 주어 다른 형태의 사고와 생활양식을 탄생시키기도 하고, 사물이나 대상을 보는 사고 방법도 다르게 한다.

주변 친구들을 대상으로 실험을 해 보자. 우선 '원숭이, 판다, 바나나' 그림을 세 개 보여준다. 그 다음 세 가지 그림 중 연관성이 높은 것 두 개를 뽑아 보라고 하면 된다. 만약 '원숭이와 바나나'를 선택했다면 동양 문화에 기초한 것이다. 원숭이가 바나나를 먹는다는 '관계'에 근거해서 원숭이와 바나나를 묶었다고 볼 수 있다. '원숭이와 판다'라고 선택했다면 나의 사고는 서양 문화에 기초한 것으로 볼 수 있다. 판다곰과 원숭이는 동물이라는 동일한 '범주'에 속한다고 판단한 것이다.

- 사회심리학
- 빵빵
- 붕붕
- 바퀴
- 집단적
- 분석적
- 사상
- 철학
- 초점
- 본질
- 성향
- 영역
- 생활양식
- 탄생
- 사물
- 연관성
- 동일하다

※ 이야기해 보십시오.

1. 여러분은 동양 문화와 서양 문화 중 어떤 사고에 가깝습니까?

2. 사람마다 사고의 차이가 있는 이유가 무엇이라고 생각합니까?

제8과 진로

준비하기 1
진로에 대해 걱정하기
N치고(서)
V-(ㄴ/는)다면, N(이)라면

준비하기 2
진로 상담하기
V-(으)ㄴ/는/(으)ㄹ 모양이다, N인 모양이다
V-거든

듣기
취업 캠프 관련 정보 전달하기

말하기
특정 정보 묻고 답하기

읽기
외국인 유학생의 국내 취업 관련 신문기사 읽기

쓰기
진로 계획하기

문화 이해하기
이색 면접

8 진로

준비하기1 422

진로에 대해 걱정하기

- 슬슬
- 취업난
- 구직자
- 특정
- 중소
- 개최되다
- 연봉
- 순전히
- 일리

아멜리: 이곳이 취업 박람회를 하는 곳이야?

박지성: 응. 나도 이제 4학년이니까 슬슬 고민이 돼서 혹시 도움이 될까 하고 왔어.

아멜리: 그렇구나. 그런데 사람들이 진짜 많다. 원래 이렇게 많아?

박지성: 요즘에는 경제가 안 좋아서 그런지 취업난이 심각하거든. 그래서 취업 준비생치고 고민이 없는 사람이 없지. 여기에서는 취업 정보도 얻을 수 있고 면접을 볼 수 있는 기회도 있으니까 사람들이 많이 오는 거야.

아멜리: 일석이조네. 이런 행사가 많이 있어?

박지성: 보통 1년에 두 번 정도 취업 박람회가 열리는데 모든 구직자를 대상으로 한 대규모 박람회가 열리기도 하고 특정 구직자를 위한 박람회가 마련되기도 해. 대도시뿐만 아니라 중소 도시에서도 개최돼.

아멜리: 정말 요즘은 취업하기가 힘든 것 같아. 그런데 지성아, 너는 어떤 곳에 취직하고 싶어?

박지성: 글쎄. 지금 고민을 하고 있는데 아직 특별히 정한 건 없어. 그렇다고 아무 데나 취직하고 싶지는 않아. 적성에 맞고 내가 잘할 수 있는 일이었으면 좋겠어.

아멜리: 아무리 적성에 맞는다고 해도 월급이 너무 적으면 곤란하지 않을까?

박지성: 돈도 중요하지. 하지만 연봉이 높다고 해도 일을 하면서 보람을 찾을 수 없다면 꼭 좋은 직장이라고 할 수는 없지.

아멜리: 그건 당연하지. 하지만 기본적인 생활조차 어려울 정도로 월급이 적어도 문제가 있지.

박지성: 물론이야. 그렇지만 직업을 순전히 돈을 버는 수단이라고만 생각하면 앞으로의 삶이 정말 힘들 거야. 직장에서 보내는 시간이 내 생활의 대부분을 차지하니까 일을 통해서 보람도 얻고 싶어.

아멜리: 네 말도 일리가 있는 것 같네. 하지만 취업하는 것이 하늘의 별 따기인데 보람까지 생각하기는 힘든 것 같아.

박지성 : 그래서 돈도 많이 벌고 보람도 있는 일을 구할 수 있을지 정말 고민이야.

- 좀처럼
- 믿음직스럽다
- 팔순
- 정정하다
- 날쌔다

1. N치고(서)

: 앞의 명사에 경우 예외 없이 모두 뒤의 내용과 같거나 예외적인 경우를 나타낸다.

1) 가: 사람들이 자르갈 씨 얘기는 좀처럼 믿지 않네요.
   나: 자르갈 씨 얘기치고서 믿을 만한 거 봤나요?
2) 가: 옆집 아저씨는 경찰이어서 그런지 책임감이 강한 것 같아요.
   나: 그럼요. 경찰치고서 믿음직스럽지 않은 사람이 없죠.
3) 가: 이 약은 정말 써서 못 먹겠어요.
   나: 몸에 좋은 약치고 쓰지 않은 것이 없어요. 꾹 참고 드세요.
4) 가: 아멜리 씨의 발음은 한국사람 같아요.
   나: 저도 그렇게 생각해요. 아멜리 씨는 외국인치고는 한국어를 잘하는 편이에요.
5) 가: 저 분은 팔순을 앞둔 나이치고는 여전히 건강하시네요.
   나: 네, 꽤 정정하신 편이지요.
6) 가: 저 사람은 농구 선수치고 키가 작은 편이네요.
   나: 그래도 행동이 빠른 편이어서 날쌘돌이라고 불려요.

2. V-(ㄴ/는)다면, N(이)라면

: 어떤 상황을 가정할 때 사용한다.

1) 가: 내일 지구가 망한다면 무엇을 할 거예요?
   나: 내일 지구가 망한다고 해도 저는 한국어 공부를 할 거예요.
2) 가: 지금처럼 열심히 공부해서 학점을 잘 받는다면 장학금을 받을 수 있을 거예요.
   나: 앞으로 더욱 노력하겠습니다.
3) 가: 우리 집이 운동장만큼 넓다면 좋겠어요.
   나: 그렇게 넓으면 청소하기만 힘들 거예요.
4) 가: 한국에서 가족과 같이 산다면 정말 행복할 것 같아요.
   나: 제 생각에는 자유롭지 않아서 조금 답답할 것 같아요.
5) 가: 나는 그 사실을 믿을 수가 없어.
   나: 나도 그래. 이 사실이 차라리 거짓말이라면 좋겠어.

연습하기

1. 다음과 같이 이야기해 보십시오.

저 부부는 매일 싸우다
부부 / 싸우다
가: 저 부부는 매일 싸우**나 봐요.**
나: 부부**치고서** 싸우**지 않는** 부부**가 없어요.**

1) 저 아이는 사탕을 매우 좋아하다
   어린아이 / 과자나 사탕을 좋아하다
2) 파하드 씨는 여자에게 관심이 많다
   남자 / 여자를 좋아하다
3) 이 문화재는 굉장히 소중하다
   문화재 / 소중하다

2. 다음과 같이 이야기해 보십시오.

이 영화는 정말 내용이 부실하다
오랜 시간과 노력을 들여 만든 영화 / 볼 만한 가치가 없다
가: 이 영화는 정말 내용이 부실하**네요.**
나: **그러게요.** 오랜 시간과 노력을 들여 만든 영화**치고는** 볼 만한 가치가 없**어요.**

- 부실하다
- 들이다
- 한산하다

1) 고속도로에 차가 많지 않다
   휴가철 / 도로가 매우 한산하다
2) 요즘 날씨가 참 시원하다
   여름 날씨 / 아주 선선하다
3) 자르갈 씨는 다른 사람의 비밀을 잘 지키다
   말이 많은 사람 / 꽤 입이 무겁다

3. 다음과 같이 이야기해 보십시오.

• 한턱내다
• 무인도

내일 수업이 없다
놀이 공원에 가다

가: 내일 수업이 없**다면 무엇을 할 거예요?**
나: 내일 수업이 없**다면** 놀이 공원에 **갈 거예요.**

1) 시험에서 모두 백점을 받다
   친구들에게 한턱내다
2) 지금 고향에 가다
   친구를 만나다
3) 복권에 당첨되다
   세계 일주를 하다
4) 무인도에서 살다
   사람들이 찾아올 수 있는 곳으로 꾸미다
5) 여러분이 유명한 가수이다
   좋아하는 배우와 드라마를 찍다

준비하기2 423 진로 상담하기

- 논문
- 눈코 뜰 새 없다
- 한도
- 다다르다
- 여왕
- 참고하다

아멜리: 어, 선배 오셨어요? 오랜만이에요.

오위노: 아멜리, 반갑다. 정말 오랜만이야.

아멜리: 요즘 바쁘시죠? 논문 쓰느라고 정신이 없다고 들었어요.

오위노: 그렇지 뭐. 수업 준비도 하고 논문 준비도 하느라고 눈코 뜰 새 없다. 너도 요즘 바쁘다고 들었는데 웬일이야?

아멜리: 제가 요즘 진로 문제로 고민을 하고 있어요. 그런데 혼자서 고민을 하니까 결론이 잘 안 나더라고요. 그래서 선배에게 도움을 좀 받으려고 연락했어요.

오위노: 그럼 고민을 좀 들어 볼까? 내가 아는 한도 내에서 도와줄게.

아멜리: 선배도 지성 씨 알죠? 지성 씨가 졸업반이어서 취업을 준비하는 모양이에요. 그래서 취업 박람회에 같이 다녀왔어요.

오위노: 그렇구나. 너에게도 도움이 됐을 텐데 뭐가 문제야?

아멜리: 도움보다 고민이 많아져서 오히려 혼란스러워요. 저는 한국에서 당연히 대학원에 진학하겠다고 생각했었거든요. 그런데 취업 박람회에 가 보니까 제가 대학원에 바로 진학을 하는 것보다는 취업을 해서 먼저 한국 문화를 경험하는 것이 더 좋지 않을까 하는 생각이 드는 거예요. 그래서 이제는 대학원 진학이 맞는 길인지 잘 모르겠어요. 선배는 어떤 계기로 대학원에 진학을 하게 됐는지 듣고 싶어요.

오위노: 나도 너처럼 고향에서 대학을 졸업하고 왔잖아. 처음에 한국에 와서 먼저 언어를 배우고 그 다음에 취업을 할 생각이었거든. 그런데 언어를 공부하다가 보니까 내가 좋아하는 것이 뭔지, 하고 싶은 일은 뭔지 고민이 됐어. 그래서 내린 결론이 취업보다는 진학을 하자는 거였어. 너도 이런 부분을 좀 더 고민해 보는 것이 어떨까?

아멜리: 아무래도 지금은 고민의 한계에 다다른 것 같아요. 혹시 제 고민에 도움이 될 만한 것이 있으면 좀 조언해 주세요.

오위노: 너 검색의 여왕이라며. 인터넷에서 보면 진학 관련 사이트라든가 사람들의 고민에 답변을 적어 놓은 것 등이 있어. 검색하면 고민 해결에 참고할 만한 자료들이 많이 있을 거야.

아멜리: 알겠어요. 선배, 고마워요.

오위노: 고민하다가 나중에 필요하거나 궁금한 것이 생기거든 또 연락해.

표현 1. AV_1 -는 것보다는 AV_2 -는 것이 더 좋다.

1) 밤에 공부하는 것보다는 낮에 공부하는 것이 더 좋다.
2) 게임하는 것보다는 책을 읽는 것이 더 좋다.

3. V-(으)ㄴ/는/(으)ㄹ 모양이다, N인 모양이다

: 어떤 근거를 가지고 추측할 때 사용한다.

• 도시락

1) 가: 자르갈 씨가 새벽부터 어디에 가는 거예요?

나: 배낭을 메고 가는 걸 보니 산에 가는 모양이에요.

2) 가: 지성 씨가 요즘 매일 할머니 걱정뿐이네요.

나: 할머니께서 연세가 많으시다더니 편찮으신 모양이에요.

3) 가: 아까 병원 앞에서 메이 씨를 만났어요.

나: 그렇군요. 수업 시간에 열이 있다고 하더니 감기에 걸린 모양이에요.

4) 가: 파하드 씨가 옷을 갈아입는 걸 보니 외출할 모양이에요.

나: 네. 오늘 중요한 면접이 있다고 하더라고요.

5) 가: 무슨 요리를 하길래 저렇게 집중하고 있어요?

나: 남자친구와 먹을 도시락을 만드는 모양이에요. 오늘 남자친구와 놀러 간다고 했거든요.

6) 가: 도서관에서 아멜리 씨를 봤는데 옆에 남자하고 같이 있던데요.

나: 그래요? 아멜리 씨가 요즘 연애를 한다더니 남자친구인 모양이네요.

4. V-거든

: 조건을 나타내거나 일어나지 않은 일을 가정할 때 사용한다.

• 신세

1) 가: 선생님께서 들어오시거든 전화해 달라고 전해 주세요.

나: 네, 선생님께서 들어오시거든 말씀드릴게요.

2) 가: 고향에 가거든 부모님께 제 안부도 전해 줄래요?

나: 알겠어요. 고향에 가면 아멜리 씨 안부를 꼭 전할게요.

3) 가: 도움이 필요하거든 언제든지 오세요.

나: 감사합니다. 도움이 필요하거든 꼭 연락드릴게요

4) 가: 돈이 없거든 나중에 갚아도 돼요.

나: 계속 신세만 져서 미안하네요. 돈이 생기면 제일 먼저 갚을게요.

5) 가: ____________________ 택시를 타세요.

나: 알겠어요.

연습하기

1. 다음과 같이 이야기해 보십시오.

로빈 씨가 오늘 친구들에게 점심을 사 줬다
로빈 씨에게 좋은 일이 있다

가: 로빈 씨가 오늘 친구들에게 점심을 사 줬**어요.**
나: **그래요?** 로빈 씨에게 좋은 일이 있**는 모양이네요.**

1) 평소와 다르게 옆집이 꽤 소란스럽다
   연말이어서 파티를 하다
2) 지성 씨가 아직 도착하지 않았다
   퇴근 시간이어서 길이 많이 막히다
3) 선생님께서 많이 피곤해 보이시다
   요즘 일이 많아서 바쁘시다
4) 파하드 씨 집에 전화를 했는데 안 받다
   집에 아무도 없다
5) 도서관에 사람이 많아졌다
   요즘 시험기간이다

2. 다음과 같이 이야기해 보십시오.

• 시간적

내일 날씨가 좋다 / 소풍을 가다

가: 내일 날씨가 좋**거든** 소풍을 **갑시다.**
나: **알겠어요.** 날씨가 좋**으면** 소풍을 가**요.**

1) 주문한 음식이 너무 맵다 / 다른 음식을 하나 더 시키다
2) 조금 후에 비가 그치다 / 여행지로 출발하다
3) 시간적인 여유가 되다 / 함께 창작 뮤지컬을 보다
4) 시험이 끝나다 / 스트레스를 해소하러 노래방에 가다
5) 대학교에 입학하고 1년이 되다 / 언어교육원 동창회를 열다

듣기 424 취업 캠프 관련 정보 전달하기

※ 다음을 잘 듣고 물음에 답해 보십시오.

1. 중심 내용으로 맞는 것을 고르십시오.

① 취업 캠프가 필요한 이유 ② 성공적인 취업 캠프 사례
③ 청년 실업 해소 방법 ④ 청년 실업과 취업 캠프의 관계

2. 들은 내용과 같은 것을 고르십시오.

① 취업 캠프는 1박 2일 동안 열렸다.
② 취업 캠프가 열린 장소는 인하대학교이다.
③ 학생들은 이번 실습을 통해 사무 능력을 향상시켰다.
④ 인터뷰한 학생들은 취업 캠프의 장단점을 이야기했다.

3. 취업 캠프의 좋은 점이 아닌 것을 고르십시오.

① 인사 담당자에게 자기소개서 지도를 받을 수 있다.
② 기업이 원하는 자기소개서 작성법을 알 수 있다.
③ 실제로 면접을 보고 나서 기업에 입사할 수 있다.
④ 실질적인 취업 역량을 높일 수 있다.

- 시사
- 실업
- 연계하다
- 캠퍼스
- 역량
- 힐링
- 캠프
- 실습
- 이미지
- 배양하다
- 인사
- 긴장감
- 막막하다
- 실질적
- 눈높이

말하기

특정 정보 묻고 답하기

※ 회사 면접 상황에서 옆 친구와 한 사람은 면접관, 한 사람은 면접을 보는 사람이 되어서 이야기해 보십시오.

- 응시자
- 적합하다
- 부서
- 개별적
- 통보하다
- 초봉

1. 아래의 상황에 대해 생각해 보십시오.

1) 당신이 면접관이라면 무엇을 물어보겠습니까?
2) 당신이 면접 응시자라면 어떻게 대답하겠습니까?

관련 표현

면접관	• 자기소개를 해 보십시오. • 우리 –에 지원한 동기가 무엇입니까? • 본인이 –에 적합하다고 생각하는 이유는 무엇입니까? • 어느 부서에 지원했습니까? 그 이유는 무엇입니까? • 연봉을 어느 정도 생각하고 있습니까? • 결과는 –월 –일에 홈페이지에 올라올 겁니다. • 결과는 개별적으로 통보해 드리겠습니다.
면접생	• –(으)ㄴ 적이 있습니다. / 많습니다. • 제 전공은 –입니다. • 전공으로 –을/를 공부했습니다. • 제가 –에 적합한 이유는 –이기 때문입니다. • 초봉은 –원 정도 생각하고 있습니다.

읽기

외국인 유학생의 국내 취업 관련 신문기사 읽기

※ 다음을 읽고 물음에 답해 보십시오.

한국 회사에 취업하려고 하는 외국인 유학생의 수가 증가하고 있다. 유학생의 국가 역시 동아시아뿐만 아니라 미국, 프랑스, 사우디아라비아 등으로 다양해지고 있는 추세이다.

인하대에서 개막된 '제13회 유학생 채용 박람회'에 참여한 유학생의 수는 첫째 날 이미 1,500여 명을 넘겼을 정도로 성황을 이루고 있다. 오늘과 내일, 이틀 동안 진행되는 이번 행사는 한국 대학으로 공부를 하러 온 유학생들이 국내 기업에 취업하는 것을 지원하기 위한 것으로, 유학생에게는 국내 기업 취업의 기회를 주고 기업들에는 자신들의 회사에 맞는 인재를 채용할 수 있는 기회이다.

행사 관계자에 따르면 보통 행사 첫날보다는 둘째 날 더 많은 사람이 방문하므로 전체 행사 기간 동안에 약 4,000명 정도가 참가할 것으로 예상된다고 한다. 이것은 작년 내비 1,000명 정도의 인원이 증가한 것으로 그만큼 한국 기업에 취업하고 싶어 하는 외국인들이 많아졌다는 증거이기도 하다.

작년에 이어 올해에도 참가했다는 한 기업 담당자에 의하면 대학의 유학생들을 채용했을 때에 장점이 있다고 한다. 대학을 통해 유학생에 대한 정보를 접할 수 있어서 신뢰할 수 있다는 것과 채용 후에도 회사에서의 만족도가 높다는 것이다. 그래서 앞으로도 계속 이 박람회에 참여하여 좋은 인재를 뽑겠다는 다짐도 전했다.

최초 기획자이면서 매년 이 행사를 준비하고 있는 인하대의 이준수 팀장은 이번 행사에 대기업뿐만 아니라 상당수의 중소기업도 참여하고 있다는 사실을 전했다. 더불어 유학생들에게 자신이 원하는 분야의 직업을 찾는 데에 좋은 기회가 될 것임을 강조했다. 또한 앞으로도 유학생들이 국내 기업에 취업하고 한국의 기업이 세계화 시대에 발맞추어 나갈 수 있도록 힘쓰겠다는 말도 전했다.

국내 기업들의 상당수는 이번에 선발하는 외국인 유학생들을 본사에서 2~3년 정도 한국의 기업 문화를 익히게 한 후 해외의 현지법인으로 파견할 계획인 것으로 알려졌다.

한편 국내에서는 서울 및 경기 지역에서 72개의 회사가 참가했으며 규모별로는 중소기업(29개), 중견 기업(22개), 대기업(21개) 순이다. 지난해 열린 취업 박람회에서는 3000여명이 현장을 찾았고 이 가운데 100여명이 취업에 성공한 것으로 확인됐다.

손동운 기자 (inhain@ins.com)

- 추세
- 개막되다
- 채용
- 성황
- 인재
- 증거
- 만족도
- 최초
- 기획자
- 상당수
- 더불어
- 강조하다
- 세계화
- 발맞추다
- 본사
- 현지법인
- 파견하다
- 중견

1. 위 신문 기사의 제목을 붙여 보십시오.

• 일자리

2. 윗글의 내용과 같은 것을 고르십시오.

① 이번 유학생 채용 박람회 역시 작년만큼 많은 외국인이 참여하였다.
② 대기업과 중소기업의 참가로 유학생들에게 선택의 기회가 넓어졌다.
③ 이번 취업박람회에서 100여 명의 유학생이 취업을 할 수 있게 되었다.
④ 채용된 유학생은 신뢰할 수 있으나 회사 내에서 만족할 만한 실력이 아니다.

3. 이 행사의 목적으로 알맞지 않은 것을 고르십시오.

① 한국 기업의 다양한 일자리 창출
② 회사에서 필요한 인재 채용의 기회
③ 국내에서 현지법인 파견 지원자 선발
④ 외국인 유학생의 국내 기업 입사 지원

※ 자신의 진로에 대해 글을 써 보십시오.

1. 아래의 질문에 대해 생각해 보십시오.

1) 여러분은 진학과 취업 중에서 무엇을 계획하고 있습니까?
2) 그 이유는 무엇입니까?
3) 그것을 위하여 준비해야 할 것은 무엇입니까?

2. 아래의 표를 완성해 보십시오.

<table>
<tr><td colspan="2">진로</td><td>진학</td><td>취업</td></tr>
<tr><td colspan="2">관심 분야</td><td></td><td></td></tr>
<tr><td colspan="2">관련 전공</td><td></td><td></td></tr>
<tr><td colspan="2">관련 자격증</td><td></td><td></td></tr>
<tr><td rowspan="4">학업 계획 /
입사 후 포부</td><td>1학년</td><td></td><td></td></tr>
<tr><td>2학년</td><td></td><td></td></tr>
<tr><td>3학년</td><td></td><td></td></tr>
<tr><td>4학년</td><td></td><td></td></tr>
</table>

3. 개요를 바탕으로 글을 써 보십시오.

문화 이해하기

- 드러내다
- 단순히
- 상식
- 창의성
- 수험표
- 압박
- 말꼬리(를) 잡다.
- 비난하다
- 들춰내다
- 자제력
- 판단력
- 황당무계
- 대처하다
- 순발력
- 식음료
- 업계
- 적합성
- 심층
- 간부
- 허위
- 흐트러지다
- 파악하다

취업 준비를 하다 보면 면접에 신경을 많이 쓰게 된다. 짧은 시간 내에 자신의 장점을 드러낼 필요가 있기 때문이다. 예전의 기업 면접이 단순히 상식에 관한 질문만 했다면 최근에는 그 사람의 창의성과 인성을 알아볼 수 있도록 다양한 종류의 면접이 시행되고 있다고 한다.

1. 무자료 면접

블라인드 면접이라는 이름으로 시행되기도 하는 면접 방법이다. 응시자의 출신 학교, 전공, 학점은 물론 가정환경 등 면접관이 미리 준비된 기초적 자료 없이 응시자의 수험표와 이름만으로 평가를 시작한다.

2. 압박 면접(스트레스 면접)

지원자의 말꼬리를 잡거나 지원자를 비난하기도 하고 고의로 약점이나 단점을 들춰내는 질문을 한다. 이 방법을 통해 지원자의 자제력과 인내심, 판단력 등의 변화를 관찰한다.

3. 황당무계 면접

평소에 예상하지 못한 질문을 하는 면접 방법이다. 정답보다는 지원자의 위기에 대처하는 능력과 순발력을 알아보기 위한 것이다.

4. 현장 체험 면접

어떤 식음료 업계에서는 "주어진 재료로 가장 자신 있는 요리를 만들어 발표하라"와 같이 실질적으로 행동을 요구하는 등의 면접을 진행했다. 이는 지원자의 실력뿐만 아니라 조직 적응력, 회사와의 적합성을 판단하기 위한 것이다.

5. 동료 평가 면접

어떤 백화점에서 시행했던 면접 방법이다. 응시자 7~10명이 한 조를 이루어 간단한 자기소개 및 토론 주제를 선정하여 토론을 벌이는 면접 방식이다.

6. 심층 면접

일대일 혹은 지원자 한 명에 두세 명의 간부가 함께 한 시간 이상 집중적으로 면접을 보는 방법이다. 면접관들은 정해진 시간 안에 쉴 틈 없이 질문을 던져 지원자가 과장을 하거나 허위 사실을 이야기하지 못하도록 한다. 또한 장시간의 면접을 통해 면접태도가 흐트러지는지도 파악한다.

※ 이야기해 보십시오.

1. 아래 질문에 대답해 보십시오.

• 즉사
• 중상

1) 화장실에 들어갔는데 휴지가 없다면 어떻게 하겠습니까?
2) 자신이 얼마짜리 사람이라고 생각합니까? 그 이유는 무엇입니까?
3) 버스에 앉아 있는데 임산부, 다리를 다친 학생, 할아버지, 짐이 많은 아주머니가 탔다면 누구에게 먼저 자리를 양보하겠습니까? 그 이유는 무엇입니까?
4) 아버지와 아들이 같이 차를 타고 가다가 교통사고가 나서 아버지는 즉사하고 아들은 중상을 입고 병원 응급실로 실려 갔습니다. 그런데 의사가 그 아들을 보고 소리쳤습니다. "아니, 얘는 내 아들이 아닌가." 이 경우 의사와 아들의 관계는 어떻게 됩니까?

2. 여러분 나라에서 하는 이색 질문에 대하여 서로 묻고 대답해 봅시다.

제9과 사회와 갈등

준비하기 1
설득하기
V-기 마련이다
V-지, N(이)지

준비하기 2
불만 표현하기
(아무리) V-(으)ㄹ지라도, N일지라도
(아무리) V-(으)ㄴ들, N인들

듣기
문제를 분석하고 해결방법 모색하기

말하기
해결방법 찾기

읽기
주장하기

쓰기
해결 방법 쓰기

문화 이해하기
한국 소비자원 피해 구제 사례

9 사회와 갈등

준비하기1 425

설득하기

- 임하다
- 웬만하다
- 전단
- 제작하다
- 뺏기다
- 질
- 교과서
- 회화

최수지: 로빈 씨, 오랜만이네요. 학원 일로 바쁘다더니 정말 얼굴 보기가 힘드네요. 그동안 별일 없이 잘 지냈어요?

로 빈: 네. 일상생활이야 늘 똑같죠. 그런데 학원을 옮겨 볼까 생각 중이에요.

최수지: 아니, 왜요? 그동안 잘 다녔잖아요. 학생들이 말을 잘 안 들어요?

로 빈: 아니요. 학생들과의 문제는 없어요. 학생들은 제 수업에 재미있게 임하고 제가 시키는 대로 잘 따라오니까 오히려 제가 학생들에게 고마울 뿐이에요.

최수지: 학생들이 로빈 씨를 잘 따르고 수업도 재미있어하는데 왜 직장을 옮기려고 해요?

로 빈: 학원 업무 때문에요. 학원 업무가 저랑은 맞지 않아서 스트레스를 계속 받고 있었는데 더 이상은 못 하겠어요.

최수지: 사회생활을 하다 보면 업무로 인해서 누구나 다 스트레스를 받기 마련이에요. 요즘 직장을 얻기가 쉽지 않은데 웬만하면 참고 일을 하지 그래요?

로 빈: 업무가 제 적성과는 잘 안 맞는 것 같아요. 학생들의 영어 실력을 위해서 저는 수업에만 최선을 다하고 싶은데 원장님은 수업 외에 학원 홍보 업무도 시키시는 거예요. 학원 홍보를 위해서 매주 회의 때마다 아이디어를 내야 하고 광고 전단이나 홍보물도 제작하다 보니까 수업을 준비하는 시간을 많이 뺏기게 되더라고요.

최수지: 아무래도 학원은 마케팅이 중요할 수밖에 없죠. 물론 수업의 질도 중요하지만 수강생 수에 따라서 학원 운영의 성공 여부가 결정되잖아요.

로 빈: 그뿐만이 아니에요. 학생들 학교 시험 기간에는 학교 공부도 봐 줘야 해요. 학교 교과서에 나와 있는 문법과 회화 표현들도 수업을 해야 하는데 어떤 때는 보충 수업까지 시켜서 퇴근도 제시간에 못할 때가 얼마나 많은지 몰라요.

최수지: 그건 한국의 교육 문제이기도 해요. 학교 성적이 아주 중요하기 때문에 영어 회화만을 목적으로 공부하는 학생들이 없거든요.

로 빈: 아무리 학교 성적이 중요하다고 해도 영어 회화를 가르치러 온 저에게 보충 수업이며 학원 홍보며 이런 일들까지 시키는 건 좀 너무한 게 아닌가요? 저는 영어 회화 강사이지 성적을 관리해 주거나 학원을 홍보해 주는 사람은 아니라고요.

최수지: 제가 보기엔 문화적인 차이도 있는 것 같아요. 한국에서는 대부분의 직장인들이 한 가지 일만 하지는 않아요. 예를 들어 학원 강사들은 학생 관리와 상담, 학부모 상담, 성적 관리, 보충 수업, 교재 제작 등 자신이 하는 수업 외의 업무들을 보는 것이 일반적이에요. 다른 학원으로 옮겨 가도 이런 업무들은 마찬가지일 거예요.

- 팔은 안으로 굽는다
- 꼬리가 길면 밟힌다

1. V-기 마련이다

: 그러한 일이 있는 것이 당연함을 나타낸다.

1) 가: 자기 고향 친구라고 잘못을 했는데도 감싸는 거 있죠?
   나: 팔은 안으로 굽기 마련이에요.
2) 가: 그 사람은 그 사실을 어떻게 알았을까요?
   나: 꼬리가 길면 밟히기 마련이지요.
3) 가: 이 힘든 시간이 대체 언제 끝날까요?
   나: 겨울이 아무리 추워도 봄은 오기 마련이에요. 조금만 더 참고 힘을 내세요.
4) 가: 고생 끝에 낙이 온다고 했는데 왜 저에게는 좋은 일이 안 생길까요?
   나: 희망을 잃지 마세요. 긍정적으로 생각하면 좋은 일이 생기기 마련이에요.
5) 가: 벌써 내년이면 30대를 바라 봐요. 20대의 끝이 보이니까 참 우울하네요.
   나: 사람은 누구나 늙기 마련이니까 너무 우울해하지 말아요.

- 역세권
- 환경오염

2. V-지, N(이)지

: 선택 가능한 대조적인 두 상황을 나열하여 앞의 상황을 긍정하고 뒤의 상황은 부정한다.

1) 가: 메이 씨가 여행을 좋아하지요?
   나: 아니요. 메이 씨는 가만히 쉬는 것을 좋아하지 여기저기 돌아다니는 것은 싫어해요.
2) 가: 그 사람은 자기 생각만 하지 남 생각은 조금도 안 하는 사람이에요.
   나: 맞아요. 그래서 주변에 친구도 없잖아요.
3) 가: 주안 역 근처에 집을 얻는 게 어때요?
   나: 역세권이라 위치만 괜찮지 다른 조건은 별로 좋지 않아요.
4) 가: 환경오염 때문에 낯선 질병들이 발생하고 있대요.
   나: 경제 성장만 생각했지 환경오염 문제는 전혀 생각을 못한 결과예요.
5) 가: 너 때문에 일이 이렇게 됐어.
   나: 일이 이렇게 된 건 네 탓이지 내 탓이 아니야.

연습하기

1. 다음과 같이 이야기해 보십시오.

요즘 탈모 때문에 고민이다
스트레스를 받으면 더 심해지다
가: 요즘 탈모 때문에 고민**이에요.**
나: 스트레스를 받으면 더 심해지**기 마련이에요.**

1) 그 일이 생각날 때마다 너무 화가 나다
   시간이 흐르면 나쁜 일도 다 잊혀지다
2) 돈이 생기면 자꾸 쓰게 되다
   주머니에 돈이 있으면 쓰다
3) 그 한 사람 때문에 모든 사람들이 피해를 봤다
   미꾸라지 한 마리가 온 웅덩이를 흐려 놓다
4) 요즘 신제품들의 가격이 터무니없이 비싼 것 같다
   원래 신제품은 비싸다
5) 열심히 노력은 했지만 자신이 없다
   노력한 만큼 좋은 결과가 있다

- 탈모
- 미꾸라지 한 마리가 온 웅덩이를 흐려 놓는다
- 터무니없이

2. 다음과 같이 이야기해 보십시오.

졸리면 커피를 마시다
졸리면 운동을 하다 / 커피를 마시다
가: 졸리면 커피를 드**세요.**
나: 저는 졸리면 운동을 하**지** 커피를 마시**지는 않아요.**

1) 화가 나도 좀 참다
   화가 나면 표현을 하다 / 참다
2) 건강하게 살고 싶으면 운동을 하다
   차라리 굶다 / 귀찮게 운동을 하다
3) 비겁한 일은 하지 말다
   겁이 많다 / 비겁하다
4) 달리기를 잘하니까 체육대회에 나가 보다
   옛날에나 달리기를 자주 했다 / 지금은 살이 쪄서 자주 뛰다
5) 듣기 시험이 걱정이면 듣기 녹음을 자주 듣다
   말하기 시험이 걱정이다 / 듣기 시험을 걱정하다

- 비겁하다

준비하기2 426

- 직급
- 최소한
- 명령조
- 다그치다
- 잡일
- 독단적
- 이만저만
- 터놓다
- 수긍하다
- 부류
- 동료애

최수지: 왜 그렇게 기분이 안 좋아 보여요? 무슨 일 있었어요?

박지성: 방금 사무실에서 참다가 못해 대리님께 한마디 하고 나오는 길이에요. 기분이 안 좋아서 잠깐 바람 좀 쐬고 있었어요.

최수지: 지성 씨가 한마디 할 정도였으면 보통 심각한 문제가 아니었나 봐요. 무슨 일로 그랬는데요?

박지성: 아무리 나보다 직급이 높다고 할지라도 내가 대리님보다 나이가 많은데 최소한 예의를 갖춰야 하는 게 아닌가요? 늘 명령조로 이야기를 하고 업무 가지고 다그치면서 무시를 하잖아요. 나도 처리할 업무가 많지만 제시간 안에 맞춰서 일을 끝내려고 노력하는데 빨리 빨리 일을 안 끝낸다고 다그치면서 실력이 안 되면 나가라고 하는 거예요.

최수지: 실력이 안 되면 나가라고 한 말은 정말 심했네요.

박지성: 게다가 자기가 마신 커피는 절대로 치우는 법이 없어요. 컵을 테이블 위에 그대로 올려놓고 일어나면 그 컵은 제가 치우고 테이블도 제가 닦거든요. 그래도 나이는 내가 더 많은데 대리님이 직장 상사라는 이유로 이런 잡일까지 하다 보니 늘 무시당하는 기분이 들어요.

최수지: 직급이 높든 그렇지 않든 자기가 마신 커피는 자기가 치워야지요. 그건 업무랑은 상관이 없는 일이잖아요.

박지성: 그러니까 사람을 무시하는 것 같다는 거예요. 커피뿐만 아니라 뭐 필요한 게 있으면 나가서 사 오라고 시키기까지 할 때도 있어요. 그리고 늘 독단적으로 행동하고 일을 벌여 놓기만 해서 아랫사람들이 얼마나 힘들어 하는지 몰라요. 다들 불만이 이만저만이 아니에요.

최수지: 대리님께 속마음을 터놓고 이야기해 보는 건 어때요? 그런 불만이 있는 것을 모르기 때문에 그러는 것일 수도 있으니까요.

박지성: 제가 터놓고 이야기를 한들 대리님이 수긍하고 앞으로 안 그러겠다고 하시겠어요? 전혀 소용이 없을 거예요. 불만 있으면 나가라는 식이거든요.

최수지: 그럼 언제까지 참고만 있을 거예요?

박지성: 저도 잘 모르겠어요. 어서 빨리 대리님보다 먼저 승진해서 내가 당한 만큼 똑같이 갚아 주고 싶어요.

최수지: 당한 만큼 갚으면 지성 씨도 그 사람과 똑같은 부류의 사람이 되는 거예요. 오히려 진정한 동료애의 모습을 보여 준다면 대리님도 자신의 행동에 대해 부끄러움을 느끼게 될 거라 생각해요.

3. (아무리) V-(으)ㄹ지라도, N일지라도

: 앞의 상황을 가정해도 그것과 관계없이 어떤 일을 해야 함을 나타낸다.

1) 가: 그 일에 실패하면 실망도 크겠어요.
   나: 실패할지라도 절대로 실망은 하지 않을 거예요.
2) 가: 밥을 차리는 게 귀찮아서 라면을 자주 먹게 돼요.
   나: 아무리 귀찮을지라도 아프지 않고 유학 생활을 잘하려면 밥은 잘 먹어야 해.
3) 가: 그런 잘못을 했는데 용서를 하겠다고요?
   나: 그 사람이 어떠한 잘못을 했을지라도 용서해 주고 싶어요.
4) 가: 요즘 동생이 얄미워 죽겠어요.
   나: 아무리 미울지라도 가족인데 어떡하겠어요?
5) 가: 아직 고등학생인데 생각보다 강한 처벌을 받았네요.
   나: 아무리 고등학생일지라도 책임 있는 행동을 할 줄 알아야지요.

- 억만장자
- 심장마비

4. (아무리) V-(으)ㄴ들, N인들

: 어떤 상황을 가정해도 그 결과가 예상과 다른 내용임을 나타낸다.

1) 가: 그때 그렇게 행동하는 게 아니었어요.
   나: 이제 와서 후회한들 그 일을 되돌릴 수는 없어요.
2) 가: 세계적인 억만장자가 심장마비로 갑자기 세상을 떠났대요. 나이도 젊은데…….
   나: 아무리 돈이 많은들 건강을 잃으면 아무 소용이 없지요.
3) 가: 책이라도 꼼꼼히 봤으면 합격을 했을 텐데요.
   나: 책을 꼼꼼히 봤던들 시험에 합격할 수 있었을까요? 책에 없는 내용의 문제들도 많았어요.
4) 가: 집이 멀어서 출퇴근하기가 힘들죠?
   나: 우리 집이 아무리 먼들 이 과장님 집만 하겠어요?
5) 가: 선생님께서 우리 아이에게 말씀하시면 좀 알아들을까요?
   나: 부모님 말을 안 듣는 아이가 선생님 말인들 듣겠어요?

연습하기

1. 다음과 같이 이야기해 보십시오.

남자 친구가 먼 곳으로 유학을 가도 관계가 유지되다
정말 사랑한다면 떨어져 있다 / 마음은 변하지 않을 것이다
가: 남자 친구가 먼 곳으로 유학을 가도 관계가 유지될**까요?**
나: 정말 사랑한다면 **아무리** 떨어져 있**을지라도** 마음은 변하지 않을 거**예요.**

- 험하다
- 절세미인
- 열 번 찍어 안 넘어가는 나무는 없다

1) 부모님께서 반대하시는데 결혼을 할 수 있다
부모님께서 반대를 하시다 / 반드시 결혼을 하고 말 것이다
2) 의상 디자이너로 성공하는 것은 멀고 험한 길이 되지 않다
가는 길이 멀고 험하다 / 결정을 후회하지 않겠다
3) 흐엉 씨가 많이 아프다고 하는데 학교에 올 수 있다
아프다 / 절대로 학교를 빠질 사람이 아니다
4) 아멜리 씨가 파하드 씨를 생일 파티에 초대하다
초대를 받지 못했다 / 파하드 씨는 아멜리 씨 생일파티에 꼭 갈 것이다
5) 아멜리 씨가 파하드 씨의 마음을 받아 주다
절세미인이다 / 열 번 찍어 안 넘어 가는 나무는 없다

2. 다음과 같이 이야기해 보십시오.

그 여자는 발이 정말 크다
여자가 발이 크다 / 남자 발보다 크다
가: 그 여자는 발이 정말 커**요.**
나: **아무리** 여자가 발이 큰**들** 남자 발보다 크**겠어요?**

- 근본적
- 재발하다

1) 요리사가 되려고 요리에 관한 책을 많이 읽고 있다
요리 책을 읽다 / 요리를 안 하는데 소용이 있다
2) 경찰이 오면 이 일을 해결할 수 있을 것이다
이번 일을 해결하다 / 근본적인 해결책이 없으면 재발하지 않다
3) 지방의 집값도 많이 올랐다고 하다
지방의 집값이 비싸다 / 서울만큼 비싸다
4) 여기 중국 식당 음식은 정말 맛있다
음식이 맛이 있다 / 고향에서 먹는 음식보다 맛있다
5) 결국 병이 났나 보다
건강한 사람이다 / 밤낮으로 일을 해 대니 병이 안 나다

듣기 427

※ 다음을 잘 듣고 물음에 답해 보십시오.

- 불러일으키다
- 주도
- 추진력
- 벌이다
- 귀(를) 기울이다
- 방안
- 긴급하다
- 우선순위
- 도전
- 수동적
- 세밀하다
- 집착하다
- 나열하다

1. 들은 내용의 특징으로 알맞은 것을 고르십시오.

① 동료와의 갈등을 줄이는 방법에 대해 설명하고 있다.
② 직장에서 갈등이 발생하는 원인에 대해 나열하고 있다.
③ 직장 선후배 사이에 생기는 갈등에 대해 비교하고 있다.
④ 동료와의 관계 개선의 필요성에 대해 주장하고 있다.

2. 들은 내용으로 알 수 없는 것을 고르십시오.

① 주도형인 사람은 새로운 도전을 즐기고 추진력이 강하다.
② 사교형인 사람에게는 격려를 통해 실천을 유도해야 한다.
③ 안정형인 사람은 수동적이라서 남이 시키는 일만 한다.
④ 신중형인 사람은 일을 전체적으로 보고 빈틈없이 한다.

3. 들은 내용과 같은 것을 고르십시오.

① 동료 간 불만이 생기더라도 꾹 참으면 갈등을 줄일 수 있다.
② 상대방의 의견에 귀를 기울이면 모든 갈등을 해결할 수 있다.
③ 동료에게 불만이 생기면 직접적으로 문제를 지적해야 한다.
④ 잘잘못을 따지기보다 동료의 장점을 찾기 위해 노력해야 한다.

※ 갈등 상황에 대해 이야기해 보십시오.

• 구역질

1. 다음 상황에서 해결 방법을 생각해 보십시오.

예

옆집에 사는 사람이 음식물 쓰레기봉투를 항상 집 문 앞에 내놓는다. 냄새가 심해서 참을 수가 없다.

상황 1

수업 시간에 국가 간 예민한 문제를 서슴없이 말하는 친구가 있다. 한두 번은 참았지만 더 이상 그 친구의 말을 듣고 싶지 않다.

상황 2

동료가 모든 일을 완벽하게 하고 싶어하며 원칙대로만 처리한다. 자기주장이 강하면서 자존심도 세서 다른 동료와 자주 의견 충돌이 일어난다.

1) 자신이 위 상황이라면 기분이 어떻겠습니까?

2) 이 문제를 어떻게 해결하겠습니까?

2. 다음과 같이 이야기해 보십시오.

예

가: 우리 옆집에 사는 사람이 냄새 나는 음식물 쓰레기봉투를 항상 집 문 앞에 내놓아요. 집에서 나올 때마다 옆집의 음식물 쓰레기 냄새 때문에 구역질이 **날 지경이에요.**

나: 아무리 불편**할지라도** 이웃을 생각해서 그런 행동을 하면 안 되는 건데 정말 자기만 생각하는 사람이군요.

가: **그래서 방법을 생각해 봤어요.** 직접 가서 그렇게 행동하지 말라고 얘기**해 보려고 해요.**

나: 불편하다고 메모를 써서 문에 붙여 놓**으면 어떨까요?**

가: **그것도 좋은 생각이네요. 아니면** 건물 사람들이 모두 볼 수 있게 공고문을 만들어서 붙여 놓는 **것도 좋겠어요.**

읽기

※ 다음 글을 잘 읽고 물음에 답해 보십시오.

- 고약하다
- 시위
- 현상
- 야기하다
- 매립장
- 조성하다
- 가정하다
- 찌르다
- 악취
- 하락하다
- 설립
- 별반
- 쉼터

(가)

고약한 냄새가 나는 쓰레기를 모아 두는 곳이 내가 사는 집 근처에 생긴다면 어떻게 하겠는가? 내가 이사 갈 곳에 장애인 시설이나 장례식장이 있다면? 일반적으로 사람들은 이런 혐오 시설이 자기의 생활권 안에 들어오는 것을 꺼린다. 심지어 시위를 벌이며 반대 운동을 한다. 이러한 이기적인 행동을 님비(NIMBY) 현상이라고 한다.

(나)

님비 현상은 지역과 지역 간의 갈등을 야기한다. 예를 들어 한 지역에 쓰레기 매립장을 조성하여 그 주변 지역의 모든 쓰레기를 그곳에 버린다고 가정해 보자. 쓰레기를 매립하면 코를 찌르는 악취가 생기는 것은 물론이고 그 지역의 땅과 물이 오염된다. 게다가 쓰레기 매립장이 있다는 이유 하나만으로 주변 지역의 부동산 값이 하락하기도 한다. 그 지역에 사는 주민들은 당연히 쓰레기 매립장 설립을 반대하며 다른 지역에 건설할 것을 제안할 것이다. 그러나 다른 지역 주민들이라고 해서 이것을 환영할까? 아마도 별반 다르지 않을 것이다.

(다)

사실 쓰레기 매립장을 세울 경우 지역에 도움이 되는 부분도 있다. 최근 한 지역에서는 쓰레기 처리 과정에서 발생하는 가스를 에너지로 바꾸어 경제적 이익을 창출하고 있다. 거기에서 나오는 이익을 지역에 환원해 소득 자원이 부족했던 마을의 경제에도 도움을 주고 있다. 게다가 쓰레기 매립장에 축구장과 쉼터, 산책로, 야외 운동기구 등의 편의 시설을 설치하여 주민들의 인식을 바꾸었다고 한다. 생각을 바꾸면 더 많은 것이 보인다. 피할 수 없는 문제라면 무조건 반대만 할 것이 아니라 서로가 조금씩 양보하여 최선의 것을 찾으려는 노력을 해야 한다.

1. 님비현상의 예를 한 가지 들어 보십시오.

• 고정관념

2. 각 문단의 소제목을 만들어 보십시오.

(가):

(나):

(다):

3. 이 글에서 글쓴이가 말하려고 하는 것이 무엇인지 고르십시오.

① 시위를 통해 모두가 싫어하는 시설의 설립을 막아야 한다.
② 피할 수 없는 문제라면 해결 방법을 찾기 위해 노력해야 한다.
③ 지역의 경제 활성화를 위해 쓰레기 매립장을 설립해야 한다.
④ 님비 현상을 막기 위해 주민들의 인식부터 바꿔야 한다.

4. 이 글의 내용과 <u>다른</u> 것을 고르십시오.

① 혐오 시설 설립을 반대하며 시위하는 사람도 있다.
② 님비 현상은 지역과 지역 간의 갈등을 유발한다.
③ 혐오 시설에 대한 고정관념은 어떻게 해도 바뀌지 않는다.
④ 쓰레기를 처리할 때 나오는 가스로 에너지를 만들 수 있다.

쓰기

• 지역이기주의

※ 지역이기주의를 해결하는 방법에 대한 글을 써 보십시오.

1. 지역이기주의에 대해 생각해 보십시오.

   1) 고향에 어떤 지역이기주의 현상이 있습니까?
   2) 발생 원인은 무엇입니까?
   3) 어떤 해결 방법이 있습니까?

2. 생각한 내용을 바탕으로 개요를 완성해 보십시오.

처음	(고향의 지역이기주의 현상)
중간	(발생 원인, 해결 방법)
끝	(바라는 점)

3. 개요를 바탕으로 글을 써 보십시오.

문화 이해하기

구입한 제품이나 이용한 서비스에 문제가 생겼을 때 판매자가 소비자의 피해에 대해 보상을 해 주지 않는다면 어떻게 해야 할까? 한국에서는 소비자원에서 그 역할을 하고 있다. 소비자원은 소비자와 사업자 사이에서 발생하는 분쟁을 원활하게 해결하기 위하여 노력한다. 홈페이지에 자신의 피해 사례를 작성하면 답변을 해 주기도 한다. 아래의 몇 가지 질문과 답변을 통해 소비자원의 역할을 알 수 있다.

첫 번째 사례

질문: 배달된 우유를 마시려고 뚜껑을 개봉했는데 검은 이물질이 떠 있는 것을 발견했습니다. 그래서 제조 회사에 연락하였으나 아무런 조치가 없습니다. 우유 속의 미세한 검은 이물질은 무엇이며 먹어도 이상이 없는 것인지요? 이런 경우 어떻게 보상받을 수 있는지 궁금합니다.

답변: 식품에 이물질이 들어있으면 제품을 교환받거나 구입가를 돌려받을 수 있습니다. 식품에 이물질이 포함되는 경우는 제조 시의 부주의, 자연 발생 등 여러 가지 원인이 있을 수 있습니다. 우유의 정상적인 제조 공정에서도 이물질이 포함될 수 있습니다. 이것은 우유팩에 우유를 넣은 후 마무리하는 과정에서 생길 수 있습니다. 이때 생긴 물질은 먹어도 문제가 없는 것으로 밝혀졌습니다. 하지만 질문하신 것이 위와 같은 이유인지 파악하기 어려우므로 시험 검사를 해 보아야 확실한 결과를 알 수 있습니다.

두 번째 사례

질문: 한 달 전 통신사를 변경하고 스마트폰도 교체했습니다. 그런데 직장에서 통화 연결이 잘 되지 않고 끊어지는 등 통화 품질이 불량합니다. 이전 통신사에서는 아무 문제가 없었고 같은 사무실의 다른 직원들도 휴대 전화 사용에 문제가 없습니다. 이런 경우에 계약 해지가 가능한지요?

답변: 먼저 통화 불량의 발생 원인이 이동통신 서비스의 문제인지, 단말기의 하자로 인한 것인지 알아야 합니다. 우선 가입한 통신사에 요청하여 직장에서 통화 품질 점검을 받아 보시고 통화 품질이 좋지 않다면 계약을 해지할 수 있습니다. 소비자 분쟁 해결 기준에 따르면 주민등록지, 요금청구지, 직장소재지 등의 주생활지에서의 통화품질 불량 시 가입 14일 이내에는 계약을 해지하는 것이 가능하다고 명시되어 있기 때문입니다.

혹시 통화 품질 테스트 결과에 이상이 없다면 스마트폰 제조사에 연락하시기 바랍니다. 제조사에서 점검을 통해 원인을 확인한 후에 수리 등의 조치를 받을 수 있습니다.

- 분쟁
- 원활하다
- 이물질
- 제조
- 조치
- 미세하다
- 통신사
- 교체하다
- 해지
- 불량
- 이동통신
- 하자
- 요청하다
- 점검
- 청구
- 소재지
- 주생활
- 명시되다

※ 이야기해 보십시오.

1. 다음과 같은 경우에 어떻게 해결해야 할지 이야기해 봅시다.

- 본체
- 파손되다
- 손해배상

주거 시설	아파트로 이사하는 도중 엘리베이터를 이용하여 가구 및 가전제품 등을 옮겼는데 관리사무소에서 엘리베이터 이용료 10만원을 내라는 통보를 받았다.
생활용품	피부 마사지를 받고 나서 화장품 세트를 구입해서 사용을 했는데 얼굴에 여드름이 났다. 피부과에서 치료를 받고 화장품 반품을 요구했는데 거부당했다.
운송	택배사를 이용하여 지인에게 보낸 컴퓨터 본체가 파손되었다. 그런데 택배 회사에서 손해배상을 거부했다.
의류/세탁	산 지 2년이 지난 옷을 세탁소에 맡겼는데 잃어버렸다는 사실을 알게 됐다. 그러나 제품 영수증이 없어서 배상할 수 없다고 한다.

2. 여러분 나라에도 소비자원과 같은 곳이 있습니까? 이용해 본 경험을 이야기해 봅시다.

표현 1. V -(으)ㄴ지요?

1) 댁이 어디신지요?
2) 어디가 불편하신지요?

M.E.M.O.

제10과 언론

준비하기 1
정보 구하기
V-(으)ㄴ/는 것이야말로, N(이)야말로
V-더라도, N(이)더라도

준비하기 2
소식 전달하기
V-(으)ㄴ/는데도 (불구하고), N인데도 (불구하고)
AV-고자, N이고자

듣기
사건 사고에 관한 뉴스 듣기

말하기
자연재해의 피해를 줄이는 방법 토의하기

읽기
신문의 역할에 관한 신문 사설 읽기

쓰기
문제점에 대해 주장하는 글쓰기

문화 이해하기
신문의 가치

BUSINESS

10 언론

준비하기1 428

정보 구하기

- 불확실하다
- 용건
- 돌다
- 비결
- 골치
- 거하다
- 전수하다
- 훑다
- 정독하다
- 천 리 길도 한 걸음부터
- 차곡차곡
- 논리적
- 친구 따라 강남 간다

메이: 흐엉, 신문 보고 있었어? 요즘도 종이로 된 신문을 보는 사람이 있구나. 난 인터넷으로 기사를 읽는 편인데…….

흐엉: 인터넷은 불확실한 정보나 허위 사실도 있을 수 있기 때문에 신뢰하기 어려운 면도 있거든. 반면에 종이로 된 신문은 느리고 전달 방법도 단순하지만 신뢰할 수 있는 정보를 제공해 주니까 좋아.

메이: 그건 그렇고 용건부터 말할게. 네가 토픽 6급을 따고 대학교에 입학했다는 소문이 돌던데 대체 그 비결이 뭐야? 너도 알다시피 난 토픽에 몇 번 떨어져서 골치가 아프거든. 오늘 내가 거하게 한턱낼 테니까 알려 줘.

흐엉: 그럴 줄 알고 내가 오늘 나만의 한국어 공부 비결을 전수하기 위해 이걸 들고 나왔지.

메이: 어? 이 종이 신문이 비결이라고?

흐엉: 그래. 난 한국어 4급 때부터 신문 스크랩을 통해서 공부해 왔어.
먼저 신문 제목, 주요 기사나 사건, 광고 등을 빨리 훑고 내려가는 거야. 그리고 중요하다고 생각되거나 관심 있는 기사를 하나 골라 스크랩해 두는 거지. 그리고 그 기사를 정독해서 읽고 모르는 단어와 표현을 찾아서 정리해 두는 방식으로 공부해 왔어.

메이: 아, 그런 방법으로 신문을 활용해서 공부를 했구나. 하지만 듣고 보니 그렇게까지 할 자신이 없다.

흐엉: '천 리 길도 한 걸음부터'라는 말도 있잖아. 일단 시작해 봐. 시작은 힘들더라도 지속적으로 하다 보면 익숙해질 거야. 그렇게 스크랩이 차곡차곡 쌓이면 신문은 마치 '오늘의 사회'라는 책 한 권을 읽는 것과 다를 게 없어. 나는 신문을 활용해서 공부한 덕분에 읽기와 쓰기 점수가 많이 향상되었어. 신문이야말로 논리적인 사고력과 한국에 대한 시사와 배경지식을 동시에 키울 수 있는 살아 있는 교과서라고 할 수 있지.

메이: 와, 신문이 이렇게 큰 가치를 가지고 있는지 미처 몰랐네.
흐엉! 오늘 좋은 정보를 줘서 정말 고맙다. 친구 따라 강남 간다고 나도 너 따라서 꼭 토픽 6급을 따고 말겠어.

- 협찬
- 최고가

1. V-(으)ㄴ/는 것이야말로, N(이)야말로

: 여러 가지 중에서 어떤 것이 가장 대표적이라는 것을 강조할 때 사용한다.

1) 가: 살면서 가장 중요한 것은 무엇일까요?
   나: 좋아하는 일을 하는 것이야말로 가장 중요한 것이죠.
2) 가: 그 사람의 장점이 뭐예요?
   나: 성격이 좋은 것이야말로 그 사람의 제일 큰 장점이에요.
3) 가: 지난번에 여배우가 협찬 받은 옷이 그렇게 비싸다며?
   나: 아니야, 이번에 협찬 받은 옷이야말로 국내에서 최고가래.
4) 가: 진정한 행복이란 뭐라고 생각해요?
   나: 서로 사랑하며 사는 것이야말로 진정한 행복이지요.
5) 가: 평생 동안 잊을 수 없는 날이 있었어요?
   나: 오늘이야말로 내게는 잊을 수 없는 날이에요.
6) 가: 가장 존경하는 사람이 누구예요?
   나: 아버지야말로 제가 이 세상에서 가장 존경하는 분이에요.

2. V-더라도, N(이)더라도

: 앞의 사실은 인정하지만 그것이 뒤의 내용에 영향을 주지 않을 때 사용한다.

1) 가: 다음 주 수료식이 끝나면 아예 귀국할 예정이에요.
   나: 고향에 돌아가더라도 저를 잊지 마세요.
2) 가: 이번 시험은 문제가 어려울 것 같아요.
   나: 문제가 어렵더라도 도중에 포기해서는 안 돼요.
3) 가: 그 사람과 헤어진 것을 후회해요?
   나: 그 사람과 헤어지지 않았더라도 결국 결혼은 못했을 거예요.
4) 가: 내일 수업에 조금 늦을 것 같아요.
   나: 내일은 무슨 일이 있더라도 지각하면 안 돼.
5) 가: 이번 일이 잘못된 것은 모두 내 탓이에요.
   나: 내가 당신이더라도 그렇게 했을 거예요.

연습하기

1. 다음과 같이 이야기해 보십시오.

이 세상에서 가장 중요한 것은 무엇이다
건강을 지키다 / 가장 중요하다
가: 이 세상에서 가장 중요한 것은 뭐**라고 생각하세요?**
나: 건강을 지키는 것**이야말로** 가장 중요한 것**이라고 생각해요.**

• 꾸준하다
• 인격

1) 인간관계에서 반드시 지켜야 하는 것은 무엇이다
상대방을 존중하다 / 인간관계의 기본이다
2) 그 직업의 좋은 점은 무엇이다
출퇴근 시간이 자유롭다 / 다른 직업보다 좋은 점이다
3) 지금까지 여행했던 곳 중에서 한국의 대표적인 여행지는 어디이다
제주도이다 / 한국을 대표하는 관광지이다
4) 흐엉 씨가 성공한 비결이 무엇이다
꾸준한 노력이다 / 성공의 비결이다
5) 인격을 표현하는 것은 무엇이다
말과 행동 / 그 사람의 인격을 표현하는 것이다

2. 다음과 같이 이야기해 보십시오.

하도 날씨가 추워서 집에만 있다
날씨가 춥다 / 집에만 있지 말고 운동을 해야 하다
가: **요즘** 하도 날씨가 추워서 집에만 있**어요.**
나: 날씨가 춥**더라도** 집에만 있지 말고 운동을 해야 해**요.**

• 저가
• 통학
• 유행어

1) 경제가 나빠서 사업이 잘 될까 걱정이다
실패하다 / 기회는 또 있으니까 문제없다
2) 저가 항공이 많아져서 싸게 해외여행을 할 수 있다
싸게 해외여행을 갈 수 있다 / 저가 항공은 믿을 수 없다
3) 하도 바빠서 밥 먹을 시간조차 없다
시간이 없다 / 식사는 거르지 말다
4) 학교에서 먼 곳으로 이사해서 통학 시간이 길어졌다
학교가 좀 멀다 / 지각하지 말아야 하다
5) 청소년들이 유행어를 많이 사용하고 있다
유행이다 / 저는 무조건 따라하지는 않을 것이다

준비하기2 429

- 산사태
- 예산
- 투입하다
- 급증하다
- 집중호우
- 산지
- 발명
- 농어촌
- 매몰되다
- 참변
- 재해
- 유가족
- 가슴이 무너져 내리다
- 눈앞이 캄캄하다
- 허망하다
- 기리다
- 추모식

흐엉: 메이, 이제는 신문 스크랩이 익숙해진 모양이구나. 스크랩할 만한 무슨 기사라도 났어?

메이: 응, 정부에서 산사태를 예방하기 위해 7000억 원에 가까운 예산을 투입했지만 최근 5년 사이에 산사태 발생은 10배나 급증했대.

흐엉: 그래? 그렇게 많은 예산을 썼는데도 불구하고 오히려 산사태가 늘었다니…… 이유가 뭐래?

메이: 산사태는 여름철 집중 호우나 태풍 때문에 발생하는데 최근에는 기후변화로 인해 더 많이 발생하고 있대. 게다가 관광지 조성이나 펜션을 짓는 등의 목적으로 산지를 지나치게 개발하는 것도 대규모의 산사태를 일으키는 원인이 되고 있대.

흐엉: 맞다. 네 얘기를 들으니 몇 년 전 여름에 우리 학교 학생들이 산사태로 목숨을 잃었던 안타까운 사고가 생각난다. 그때 신문에도 크게 났던 사고였어.

메이: 뭐라고? 산사태로 목숨을 잃다니 그런 일이 있었어?

흐엉: 응, 우리 학교에 '아이디어뱅크' 라는 발명 동아리가 있는데 매년 여름방학에 농어촌 어린이들에게 발명에 관한 흥미를 불러일으키고 과학 지식을 가르쳐 주고자 봉사 활동을 해 왔대.

메이: 그런데 어쩌다가 그런 사고가 생겼던 거야?

흐엉: 봉사기간 동안에 날씨가 나쁠 거라는 일기예보는 들었지만 아이들을 실망시킬 수 없어서 계획대로 지방에 있는 한 초등학교로 봉사활동을 갔었대. 그런데 그만 숙소로 이용한 펜션이 산사태로 매몰되면서 9명의 대학생들이 참변을 당하게 된 거야.

메이: 그게 정말이야? 정말 안타깝고 가슴 아픈 일이다. 재능기부를 하러 간 학생들이 재해 때문에 희생을 당하다니……. 유가족들은 얼마나 가슴이 무너져 내리고 눈앞이 캄캄하셨을까?

흐엉: 그러게 말이야. 꿈을 제대로 펼쳐 보지도 못한 채 세상을 떠난 게 너무 허망하지. 그래서 우리 대학에서는 매년 7월에 이 희생자들의 뜻을 기리기 위해 추모식을 열어. 또 이들의 봉사 정신을 잇기 위해 사고가 난 곳에서 발명캠프 봉사 활동도 계속하고 있대.

메이: 정말 대단하다. 그런데 흐엉! 네가 우리 학교 소식통인 줄은 알았지만 어떻게 이런 내용을 자세히 알고 있어? 마치 기자 같다.

흐엉: 하하. 너 내가 우리 학교 마당발인 거 몰랐어?

• 난이도

3. V-(으)ㄴ/는데도 (불구하고), N인데도 (불구하고)

: 앞의 상황에서 기대할 수 있는 것과 다르거나 반대의 사실이 뒤에 올 때 사용한다.

1) 가: 요즘 수영을 배운다면서요?
   나: 네, 그런데 매일 연습을 하는데도 실력이 늘지 않아요.
2) 가: 이번 봉사활동에서 자르갈 씨가 제일 열심히 일한 것 같아요.
   나: 나이가 어린데도 불구하고 묵묵히 힘든 일을 다 하더라고요.
3) 가: 그 책 다 읽은 거 아니었어요? 왜 또 보고 있어요?
   나: 다 읽었는데도 내용이 기억나지 않아요.
4) 가: 이번 시험의 난이도가 낮았다고 들었는데 잘 봤지요?
   나: 아니요, 아는데도 불구하고 틀린 문제가 많아서 속상해요.
5) 가: 새로 차를 사셔서 좋으시겠어요.
   나: 좋기는요. 새 차인데도 자꾸 고장이 나요.

4. AV-고자, N이고자

: 뒤 문장의 행위를 하는 목적을 나타낸다.

1) 가: 무슨 일로 찾아왔습니까?
   나: 이번 행사에 관해 의논을 하고자 찾아왔습니다.
2) 오늘은 여러분에게 한국 영화에 대해서 말씀드리고자 합니다.
3) 가: 인하대학교에 지원한 이유가 무엇입니까?
   나: 여기에서 제 꿈을 펼쳐 보고자 지원하게 되었습니다.
4) 가: 휴가 때 특별한 계획이 있습니까?
   나: 휴가기간에 고향에 가서 좀 쉬고자 합니다.
5) 가: 이번에 우수 교사상을 받으셨는데 그동안 어떤 마음가짐으로 일해 오셨습니까?
   나: 저는 지금까지 성실하고 책임감 있는 교사이고자 노력해 왔습니다.

연습하기

1. 다음과 같이 이야기해 보십시오.

그 영화가 흥행에 성공했다
유명한 배우들이 나오다 / 흥행에 실패했다
가: 그 영화가 흥행에 성공했**어요?**
나: **아니요,** 유명한 배우들이 나오**는데도** 흥행에 실패했**어요.**

1) 한국어 실력이 늘었다
매일 열심히 공부하다 / 제자리걸음이다
2) 취직 시험에 합격했다
자격증이 많다 / 시험에서 떨어졌다
3) 잃어버린 지갑을 찾았다
온 집안을 다 뒤져 봤다 / 어디에 있는지 없다
4) 독립해서 생활하니까 좋다
혼자 살다 / 집안일이 많아서 힘들다
5) 고향과 달리 날씨가 추운데 지내기 힘들지 않다
겨울이다 / 날씨가 춥지 않아서 지낼 만하다

- 흥행
- 제자리걸음

2. 다음과 같이 이야기해 보십시오.

이런 불경기를 극복하기 위해 어떻게 대처하고 있다
낭비를 하지 않다 / 가계부를 쓰다
가: 이런 불경기를 극복하기 위해 어떻게 대처하고 있**습니까?**
나: 낭비를 하지 않**고자** 가계부를 쓰고 있**습니다.**

1) 가 : 김연재 선수, 올해 목표는 무엇이다
나 : 세계대회에서 메달을 따다 / 더욱 노력할 것이다
2) 가 : 영어 공부를 열심히 하는 목적이 있다
나 : 예, 원어로 된 전공서적을 읽다 / 열심히 공부하고 있다
3) 가 : 힘든 시기를 이겨내고 성공하신 비결은 무엇이다
나 : 어떻게든 살다 / 안 해 본 일이 없었다
4) 가 : 취업 문제 해결을 위한 정부의 대책이 있다
나 : 예, 일자리를 확대하다 / 노력하고 있다
5) 가 : 지성 씨, 이번 학기에 학업에 전념했다
나 : 예, 성실한 학생이다 / 최선을 다하였다

- 불경기
- 낭비
- 가계부
- 메달
- 대책
- 확대하다

듣기 430

- 담뱃불
- 뒤따르다
- 옮겨붙다
- 잇달다
- 갯바위
- 낚시꾼
- 고립되다
- 트럭
- 불길
- 치솟다
- 인명
- 추산
- 인근
- 승용차
- 엔진
- 부근
- 과열
- 수집
- 고물상
- 삼매경
- 차오르다
- 구조되다
- 밀물
- 썰물
- 강풍
- 당부하다
- 화물차

※ 다음을 잘 듣고 물음에 답해 보십시오.

1. 무엇에 대한 내용입니까?

① 휴일 사건, 사고 소식
② 고속도로에서 운전시 주의점
③ 인근 도로에 주차할 때의 문제점
④ 바다낚시가 취미인 50대 낚시꾼들 소개

2. 들은 내용에 없는 것을 고르십시오.

① 사고 현장 상황
② 사고가 일어난 원인
③ 사고로 인한 피해 현황
④ 사고 피해에 대한 보상 방법

3. 들은 내용과 맞는 것을 고르십시오.

① 오늘 새벽에 주차해 놓은 경찰차에서 불이 났다.
② 어젯밤에 고속도로를 주행하던 화물차에서 불이 났다.
③ 오늘 오전에 고물상에서 발생한 불은 건물 외부에서 시작되었다.
④ 오늘 오후에 낚시꾼들이 썰물로 인해 부산 앞바다에 고립되었다.

말하기

자연재해의 피해를 줄이는 방법 토의하기

※ 문제 해결 방법에 대해 이야기해 보십시오.

1. 세계 각지에서 일어나는 자연재해를 조사하고 자연재해의 피해를 줄일 수 있는 방법에는 어떤 것들이 있는지 생각해 보십시오.

   1) 언제, 어디에서 일어난 일입니까?
   2) 무슨 일이 있었습니까?
   3) 피해를 줄이기 위해 어떻게 해야 합니까?

- 각지
- 자연재해
- 해일
- 매뉴얼

2. 다음과 같이 이야기해 보십시오. (지진, 태풍, 가뭄, 홍수, 폭설)

예

가: 2011년 3월**에** 일본에서 대지진이 일어**났대요.**
나: 저도 들었는데 지진으로 인한 해일 때문에 4만여 명의 인명 피해가 있었대요.
가: **피해를 줄일 수 있는 방법에 대해서 이야기해 볼까요?**
나: **제 생각에는** 지진 자체를 막을 수는 없지만, 지진으로 인한 해일 피해를 줄이기 위한 매뉴얼을 개발하여 실천하는 **게 좋을 것 같아요.**

읽기

신문의 역할에 관한 신문 사설 읽기

※ 다음을 읽고 물음에 답해 보십시오.

- 객관적
- 여론
- 견해
- 표명하다
- 독자
- 깨우치다
- 읽을거리
- 부정부패
- 방부제
- 매체
- 감시
- 고발
- 탁월하다
- 지면
- 한정되다
- 시각
- 쓴소리
- 매섭다
- 추측성
- 본연
- 견제
- 한층
- 부단히
- 개혁
- 길잡이
- 비전
- 감당하다

신문은 크게 세 가지의 역할이 있다. 첫째, 보도 기능으로 정치, 경제, 교육, 사회, 국제 문제 등 우리 주변에서 매일 발생하는 여러 가지 사실들을 객관적으로 알려 준다. 둘째, 여론 형성 및 지도 기능으로 보도된 사실에 대한 입장이나 견해를 표명해서 독자가 스스로 깨우치고 판단할 수 있도록 도움을 준다. 셋째, 오락 기능으로 소설, 만화, 연예 기사, 스포츠 기사 등 독자가 즐거워할 수 있는 가벼운 읽을거리를 제공한다.

신문은 이런 역할을 하는 한편 이 사회의 부정부패를 막는 방부제와 같은 역할도 해야 한다. 왜냐하면 다양한 언론매체 중 신문은 부정부패에 대한 감시와 고발 기능이 가장 탁월하기 때문이다. TV는 시간 제약 때문에 신문에 비해 심층 보도가 어렵다. 신문은 뉴스의 양이 많으면 지면을 늘리면 되지만 TV는 시간적으로 한정되어 있어 뉴스의 양을 늘릴 수 없는 경우가 많다. 또 TV는 뉴스의 가치와 상관없이 현장 화면이 없는 보도는 빠질 수 있고 다양한 시각을 담기에 부족한 점이 있다. 이렇듯 여러 면에서 신문의 역할은 영상 시대인 현재에도 여전히 중요하다. 따라서 올바른 정보를 습득하려면 TV 보기와 신문 읽기를 함께 하는 것이 좋다.

하지만 최근 신문에 대한 독자들의 비판과 쓴소리는 어느 때보다 매섭다. 정확하고 사실적인 보도가 아닌 추측성의 보도와 선정적인 광고, 왜곡된 견해 등으로 점점 신문의 기능을 잃고 있기 때문이다.

신문이 독자의 쓴소리로부터 벗어나는 길은 신문 본연의 비판, 견제, 감시 기능을 한층 강화해 가면서 부단히 자기 개혁을 하는 것이다. 그리하여 국가와 사회의 길잡이 역할까지 해야 한다. 다시 말해, 국내외 사회의 흐름을 바로 읽고 미래의 비전을 제시하는 것이야말로 이 시대의 신문이 감당해야 할 일인 것이다.

1. 이 글의 종류로 알맞은 것을 고르십시오.

① 서평 ② 사설 ③ 보고문 ④ 감상문

2. 이 글을 쓰게 된 목적이 무엇인지 고르십시오.

① 신문 본연의 기능 회복을 주장하려고
② 신문의 역할을 독자들에게 홍보하려고
③ 독자들에게 신문을 읽도록 설득하려고
④ 신문이 사회에 미치는 영향을 설명하려고

3. 이 글의 내용과 같은 것을 고르십시오.

① 신문은 사실적이고 객관적인 보도만 잘하면 된다.
② 신문은 새로워지기 위해 끊임없이 노력해야 한다.
③ 신문에는 현장 화면이 없기 때문에 생동감이 떨어진다.
④ 신문의 부정부패 보도로 인해 독자들의 비판이 심해진다.

4. 글쓴이의 주장과 근거(이유) 부분을 찾아 써 보십시오.

주장	근거 / 이유
신문은 ( ) 해야 한다.	
신문은 ( ) 해야 한다.	

• 서평
• 사설
• 생동감

쓰기

문제점에 대해 주장하는 글쓰기

- 담뱃값
- 인상하다
- 제기
- 요약

※ 주장하는 글을 써 보십시오.

1. 다음의 주제 중에서 하나를 골라 생각해 보십시오.

- 성형수술이 필요한가?
- 금연을 위하여 담뱃값을 인상해야 하는가?
- 종이 신문이 필요한가?

1) 이런 주제가 최근에 사회적인 문제가 되는 이유는 무엇입니까?
2) 위의 주제에 대해 찬성합니까? 아니면 반대합니까?
3) 그 이유와 근거는 무엇입니까?

2. 생각한 내용을 바탕으로 개요를 완성해 보십시오.

서론	(문제 제기 및 글을 쓰게 된 동기)
본론	(문제에 대한 주장과 근거)
결론	(주장 요약, 정리 및 해결 방법)

3. 개요를 바탕으로 글을 써 보십시오.

문화 이해하기

신문의 가치

한국신문협회는 2006년부터 청소년들의 신문 읽기 문화 증진을 위해 신문 읽기의 모범이 되는 유명인사를 '올해의 신문 읽기 스타'로 선정하여 시상해 오고 있는데 올해는 팝페라(Popera) 테너 임형주 씨가 그 영광을 차지하였다. 그는 전 세계를 누비는 바쁜 일정에도 매일 15개의 신문을 구독한다고 한다. 해외에 있을 때는 그 나라 신문까지 챙겨 볼 정도이다. 종이를 넘기는 매력은 마우스 클릭과 비교할 수 없다는 그는 오전에 신문을 읽지 못하면 밤에라도 꼭 챙겨 보며 하루에 두 시간 정도를 신문 보는 데 쓴는다.

처음에는 두 개의 신문에서 자신이 존경하는 음악가의 기사를 스크랩하기 시작한 것이 점차 늘어나 지금에 이르렀다. 그는 신문이야말로 자신이 성공한 원동력이며 신문이 없었더라면 지금처럼 큰 꿈을 꾸지 못했을 것이라고 한다. 특히 음악을 하는 근본적인 목적이 사람들에게 위로와 안식을 주기 위해서라는 그는 기아와 난민을 다룬 신문기사에서 휴머니즘을 표현하는 영감을 얻는다고 한다.

그는 음악 이외에도 사회 전반에 대해 관심이 많다. 그 때문에 각종 시민 단체 및 봉사 단체의 홍보대사를 비롯해 신문사의 객원 시사 평론가로도 왕성하게 활동 중이다. 그가 이렇게 여러 방면에서 활약할 수 있는 풍부한 지식의 근원은 단연코 '신문'이다.

그는 강연을 통해 많은 청소년들에게 다음과 같이 조언했다.

"신문은 그 가치를 모르는 사람에게는 하루가 지나면 폐품이 되지만, 그 가치를 아는 사람에게는 삶의 꿈과 원동력을 주는 지침서가 될 수 있습니다. 여러분! 신문의 참된 가치를 인식하십시오. 폐품을 삶의 지침서로 바꾸는 순간 여러분의 미래는 달라질 것입니다."

- 협회
- 시상하다
- 영광
- 누비다
- 구독하다
- 마우스
- 위로
- 기아
- 난민
- 휴머니즘
- 영감
- 전반
- 객원
- 왕성하다
- 활약하다
- 근원
- 단연코
- 강연
- 폐품
- 지침서
- 참되다

※ 이야기해 보십시오.

1. 평소에 신문에 대해서 어떤 생각을 가지고 있었습니까?

2. 최근 여러분 나라에서 화제가 되고 있는 신문기사를 친구들에게 소개해 봅시다.

제11과 환경

준비하기 1
환경보호 권유하기
V-(으)ㄴ/는/(으)ㄹ 듯하다, N인 듯하다
AV-아/어/여 내다

준비하기 2
조언하기
V-(으)ㄴ/는/(으)ㄹ 듯이, N(이)ㄴ 듯이
AV-(으)ㄹ락 말락 하다

듣기
수질오염을 줄이는 방법 듣기

말하기
환경보호 방법 제안하기

읽기
포스터 내용 이해하기

쓰기
환경보호 포스터 만들기

문화 이해하기
비무장지대

11 환경

준비하기1 431

환경보호 권유하기

- 비닐
- 알뜰하다
- 일회용품
- 모금
- 환경보호
- 티끌 모아 태산

자르갈: 메이, 어디 가? 그 큰 가방은 뭐야?

메　이: 집에 있는 식재료가 부족한 듯해서 마트에 가고 있어. 이 가방은 마트에서 파는 비닐봉투 대신에 사용하려고 장바구니로 가져가는 거야.

자르갈: 네가 알뜰한 건 익히 들어 알고 있었지만 그 정도일 거라고는 생각도 못했네. 정말 대단하다. 계산할 때 비닐봉투나 종이가방도 살 수 있잖아? 그게 얼마나 한다고. 나 같으면 그냥 사겠다.

메　이: 비닐봉투나 종이가방이 비싸서 그런 게 아니라 가능하면 일회용품을 사용하지 않으려고. 사람들이 편리하다고 해서 일회용품을 하도 버려 대는 바람에 환경 문제가 심각하다는 뉴스를 접했거든. 비닐봉투는 100년이 지나야 썩는다고 해. 종이컵은 썩는 데 30년, 나무젓가락은 썩는 데 20년이 걸리고. 그런데 물 한 모금 마시고 새것과 다름없는 종이컵을 그냥 버리고, 나무젓가락도 낭비가 심하잖아. 집에서는 나무젓가락을 사용하지 않아도 되는데. 비닐봉투 대신 장바구니를 사용하거나 종이컵 대신 유리컵을 사용하면 쓰레기도 줄이고 환경오염도 줄일 수 있으니까 일석이조여서 좋다고 생각해.

자르갈: 네가 그렇게 환경보호에 관심이 많은 줄은 몰랐네. 나는 환경보호가 거창한 것이라고만 생각해서 나 같은 사람은 아무것도 할 수 없는 것으로만 생각했거든. 이렇게 작은 일부터 시작하면 우리의 환경을 지켜 낼 수 있는 건데. 갑자기 내 자신이 부끄러워진다.

메　이: 관심이 많은 것보다 환경보호는 이 땅에 사는 사람이라면 당연히 지켜야 할 의무잖아. 나도 이런 생각을 하게 된 지는 얼마 안 됐어. 누구든지 조금만 생각해보면 환경보호를 위한 일을 할 수 있다고 봐.

자르갈: 그렇구나. 나도 이제부터 어떤 일을 하면 환경을 보호할 수 있는지 주변에서부터 찾아봐야겠다.

메　이: 좋은 생각이야. '티끌 모아 태산'이라는 말처럼 작은 일부터 환경보호를 위해 노력한다면 우리 주변이 살기 좋은 곳이 될 거야. 자연은 우리가 후손으로부터 빌려 쓰고 있는 거라는 말도 있잖아. 환경보호를 위해서 우리가 할 수 있는 일들부터 찾아보자.

• 풀(이) 죽다

1. V-(으)ㄴ/는/(으)ㄹ 듯하다, N인 듯하다

: 앞말이 뜻하는 사건이나 상태를 짐작하거나 추측함을 나타낸다.

1) 가: 자르갈 씨가 자꾸 메이 씨만 쳐다보네요.
   나: 자르갈 씨가 메이 씨를 좋아하는 듯해요. 평소에도 메이 씨 소식을 그렇게 궁금해하더라고요.
2) 가: 오늘따라 과일을 많이 사 가지고 오네요.
   나: 다른 데에 비해서 값이 싼 듯해서 많이 사 왔어요. 드셔 보세요.
3) 가: 저 영화 포스터를 보니 영화가 재미있을 듯해요.
   나: 저도 그렇게 생각해요. 같이 보러 갈까요?
4) 가: 파하드 씨가 왜 저렇게 풀이 죽어 있죠?
   나: 정확히는 모르겠는데 흐엉 씨에게 남자친구가 생겼다는 소식을 들은 듯해요.
5) 가: 저 분은 선생님인 듯해요. 많은 학생들이 인사를 하네요.
   나: 맞아요. 우리 학교에서 가장 인기가 많은 선생님이에요.

• 전조등
• 다닥다닥
• 제자

2. AV-아/어/여 내다

: 어떤 일이 끝내 이루어짐을 나타내거나 어떤 과정을 거쳐 이룬 결과임을 나타낸다.

1) 가: 자동차 전조등에 벌레가 다닥다닥 붙어 있어요.
   나: 밤길을 운전해서 왔더니 그런가 봐요. 닦아 내야겠네요.
2) 가: 오늘이 스승의 날이긴 하지만 학생들이 끊임없이 찾아오네요.
   나: 김 교수님이 여태 많은 제자들을 길러 내셨기 때문이에요.
3) 가: 이 보고서를 언제까지 마감해야 해요?
   나: 이번 주말까지 완성해 내야 해요.
4) 가: 드디어 그 일을 성공해 냈구나. 축하해.
   나: 고마워. 그동안 이 일에 매달린 보람이 있어서 정말 좋아.
5) 가: 여보, 출산의 고통을 참아 내느라고 고생했어요.
   나: 아니에요. 우리 아이를 보게 되어서 기뻐요.

연습하기

1. 다음과 같이 이야기해 보십시오.

이 음식점이 다른 곳보다 좀 비싸다
다음에는 오지 말다

가: 이 음식점이 다른 곳보다 좀 비싼 **듯해요.**
나: **그러게요.** 다음에는 오지 말**아야겠어요.**

1) 장학금을 항상 자르갈 씨가 차지하다
   저도 분발하다
2) 저 분은 한국어 선생님이다
   궁금한 것이 있으면 질문하다
3) 부모님이 공항에 곧 도착하실 것이다
   얼른 준비하고 부모님을 모시러 가다
4) 초대한 사람들이 곧 올 것이다
   손님 맞을 준비를 마무리하다
5) 아이가 길을 잃어버렸다
   경찰서에 데려다 주다

• 분발하다

2. 다음과 같이 이야기해 보십시오.

드디어 그 사건의 범인을 밝히다
운이 좋았을 뿐이다

가: **축하드립니다.** 드디어 그 사건의 범인을 밝혀 **내셨군요.**
나: **감사합니다.** 운이 좋았을 뿐입**니다.**

1) 이번 올림픽에서 금메달을 따다
   4년간의 노력이 헛되지 않아 다행이라고 생각하다
2) 결국 이 마지막 문제의 정답을 알다
   제가 맞추게 되어서 매우 기쁘다
3) 마침내 새로운 과학 이론을 발견하다
   그동안 연구했던 부분이 결실을 맺어서 만족스럽기 그지없다
4) 후세에 길이 남을 만한 그림을 그리다
   그림을 완성하고 나니 마음이 후련하다
5) 모든 사람의 예상을 뒤엎고 팀의 승리를 이루다
   선수들 모두가 자신의 위치에서 최선을 다한 덕분이다

• 올림픽
• 금메달
• 헛되다
• 이론
• 그지없다
• 후세
• 길이
• 뒤엎다

준비하기2 432

- 굳이
- 연간
- 톤
- 푼
- 온실가스
- 지구온난화
- 주범
- 북극
- 해수면
- 생태계
- 방영되다
- 다큐멘터리
- 북극곰
- 멸종되다
- 이면지
- 살림
- 뒤집다
- 타다

어머니: 여기요, 돼지갈비 2인분하고 된장찌개, 밥 두 공기 주세요. 반찬은 조금씩만 주시고요.

지 성: 반찬이야 알아서 담아 주는데 굳이 저희가 신경 쓸 필요가 있나요? 먹고 그냥 남기면 되죠.

어머니: 지성아, 1년 동안 우리나라에서 버리는 음식이 얼마나 많은지 아니? 음식물 쓰레기가 연간 550만 톤이나 된대.

지 성: 그렇게나 많아요? 처리 비용도 한두 푼이 아니겠네요. 그래서 어머니가 식당에서 항상 남은 음식을 싸 가시는 거군요.

어머니: 그렇지. 너도 알 듯이 우리가 먹고 남기는 음식은 이곳에서는 쓰레기가 되지만 우리가 가져가면 다시 먹을 수 있잖니? 게다가 음식물 쓰레기는 처리 과정에서 온실가스도 배출한다고 하니 지구온난화를 가져오는 주범이 되기도 하지. 지구온난화로 인하여 북극의 얼음이 녹아 해수면이 상승하고 생태계도 파괴된다는 사실은 알고 있지?

지 성: 네, 얼마 전 방영된 다큐멘터리를 봤는데 거기에도 나오더라고요. 북극곰의 생존에는 얼음이 꼭 필요한데 계속 녹기 때문에 북극곰이 멸종될 수도 있다는 사실을 알고는 괜히 제가 미안해지더라고요.

어머니: 그래. 그래서 우리가 환경을 내 소중한 물건을 다루듯이 아껴야 하는 거야. 참, 어제 보니까 네가 종이 쓰레기를 많이 내놓았더구나. 그런데 종이를 왜 그렇게 많이 버렸니? 뒷면도 활용할 수 있는데.

지 성: 앞부분은 다 쓴 종이들이니까 별로 쓸 데가 없을 것 같아서요.

어머니: 종이 1톤을 만드는 데에 30년생 나무 열일곱 그루 정도가 필요하다고 하니 종이 한 장이 얼마나 소중한지를 알겠지? 이면지를 잘 활용하면 나무도 보호하고 종이도 아낄 수 있잖아.

지 성: 와, 우리 어머니가 언제부터 이렇게 환경 전문가가 되셨어요?

어머니: 네가 살림을 안 해 봐서 그렇지. 살림을 하다 보면 생활에서 얼마든지 환경을 보호할 수 있는 방법들이 있다는 것을 알게 될 거야.

지 성: 네. 알겠어요. 이제부터는 환경보호를 위해서 제가 할 수 있는 일을 찾아볼게요.

어머니: 그래, 그건 그렇고 저 고기 얼른 뒤집어야겠다. 벌써 탈락 말락 하고 있다.

지 성: 네, 고기 굽는 건 제가 할게요.

표현 1. V – 더구나

1) 방금 전에 친구에게 전화가 왔더구나.
2) 그 아기는 참 예쁘더구나.

• 이래라저래라
• 이

3. V-(으)ㄴ/는/(으)ㄹ 듯이, N(이)ㄴ 듯이

: 동작이나 상태가 어떤 비슷한 상황이라고 추측함을 나타낸다.

1) 가: 내 룸메이트는 자기가 엄마라도 되는 듯이 나에게 이래라저래라 해.
   나: 잔소리가 여간 심한 게 아니구나.
2) 가: 무대에서는 아무리 긴장이 되어도 아무렇지도 않은 듯이 행동해야 돼.
   나: 알았어. 그런데 내가 잘할 수 있을까?
3) 가: 자르갈 씨가 화가 난 듯이 아무 말도 하지 않아서 무서워요.
   나: 그래요? 제가 보기에는 그냥 잠이 덜 깬 것 같던데…….
4) 가: 저 집은 사람이 아무도 안 사는 듯이 조용하네요.
   나: 일이 많아서 매일 밤늦게 들어왔다가 새벽에 나간대요.
5) 가: 저 사람은 마치 의사인 듯이 사람들의 아픈 곳을 잘 찾네요.
   나: 지금은 이곳에서 농사를 짓고 있지만 예전에는 의사였다고 해요.

✓ V-듯이

1) 이 잡듯이 뒤져도 휴대전화를 찾을 수가 없었어요.
2) 그렇게 돈을 물 쓰듯이 쓰면 생활비가 부족할 거예요.

• 붉으락푸르락
• 수프
• 기저귀
• 벗겨지다

4. AV-(으)ㄹ락 말락 하다

: 어떤 일이 거의 일어날 것 같다가 안 일어남을 나타낸다.

1) 가: 파하드 씨가 뭐래요?
   나: 아무 말도 안 해서 잘 모르겠어요. 말을 할락 말락 하다가는 그냥 가 버리네요.
2) 가: 밖에 비가 올락 말락 하네요. 아무래도 우산을 가지고 나가야겠어요.
   나: 그렇게 하세요. 이런 날씨에 비까지 맞으면 감기에 걸리기 십상이에요.
3) 가: 자르갈 씨 얼굴이 붉으락푸르락하네요.
   나: 아까 친구가 큰 실수를 해서 자르갈 씨가 화를 낼락 말락 했거든요.
4) 가: 라면 수프하고 면은 물에 넣었어요?
   나: 아니요, 아직 물이 끓을락 말락 해서 기다리고 있어요.
5) 가: 아기가 이제 잘 뛰네요.
   나: 네, 너무 잘 뛰어서 기저귀가 벗겨질락 말락 해요.
6) 가: 저 아이 표정 좀 보세요.
   나: 무슨 일인지 아이가 울락 말락 하고 있어요.

연습하기

1. 다음과 같이 이야기해 보십시오.

아멜리 씨에게 이번 여행 같이 가자고 말해 봤다
곤란하다 / 머뭇거리길래 부담 갖지 말라고 했다
가: 아멜리 씨에게 이번 여행 같이 가자고 말해 봤**어요?**
나: **네,** 곤란한 **듯이** 머뭇거리길래 부담 갖지 말라고 했**어요.**

- 머뭇거리다
- 피사의 사탑
- 기울어지다
- 얌전히

1) 파하드 씨가 어디에 갔다
   급한 일이 있다 / 뛰어갔다
2) 피사의 사탑을 봤다
   넘어질 것이다 / 기울어져 있을 뿐이고 무너지지 않아서 신기했다
3) 파하드 씨가 왕루 씨를 좋아한다는 게 사실이다
   아까도 왕루 씨를 보더니 부끄러운지 못 봤다 / 그냥 지나갔다
4) 아기가 아직도 잠에 들지 않았다
   하지만 자다 / 누워 있다
5) 자르갈 씨가 친구랑 같이 학교에 갔다
   자르갈 씨 친구는 우리 학교 학생이다 / 얌전히 앉아서 공부했다고 들었다

2. 다음과 같이 이야기해 보십시오.

의자를 놓고 그릇을 꺼내다
까치발을 하다 / 손이 닿다
가: 의자를 놓고 그릇을 꺼내**려고요?**
나: 까치발을 **했더니** 손이 닿**을락 말락 해서요.**

- 까치발
- 무렵
- 가장자리

1) 감기가 심하지 않은데 병원에 가다
   약만 먹다 / 감기가 낫다
2) 우유를 따뜻하게 데워 마시다
   저녁 무렵에 커피를 마시다 / 잠이 들다
3) 휴지로 뭐 하다
   슬픈 노래를 듣다 / 눈물이 나오다
4) 화분을 옮기다
   가장자리에 놓다 / 떨어지다
5) 일찍 집을 나서다
   어제 늦는 바람에 뒷자리에 앉다 / 선생님 목소리가 들리다

※ 다음을 잘 듣고 물음에 답해 보십시오.

- 폐수
- 하천
- 수질오염
- 기름기
- 적시다
- 토양오염
- 합성세제
- 튀김
- 흡수
- 적정량

1. 두 사람이 대화를 하는 이유가 무엇인지 고르십시오.

① 수질오염의 역사를 안내하려고
② 수질오염에 대한 불만을 이야기하려고
③ 수질오염의 원인과 해결책을 제시하려고
④ 수질오염에 대한 시민 의식을 조사하려고

2. 들은 내용과 일치하는 것을 고르십시오.

① 한국은 물이 풍부하므로 적은 양의 오염은 문제가 되지 않는다.
② 지성 씨의 부모님은 물을 사서 마시는 것을 이해하지 못하신다.
③ 한국에서는 현재 하천의 물을 그냥 마셔도 아무 문제가 없다.
④ 메이 씨는 예전부터 환경을 위해 노력하며 살아왔다.

3. 대화 후에 이어질 메이 씨의 행동으로 맞지 <u>않는</u> 것을 고르십시오.

① 내가 먹을 만큼의 음식만 요리해서 먹는다.
② 요리 후에 모든 그릇은 휴지로 닦은 후에 설거지한다.
③ 튀김 요리를 한 후에 신문지로 남은 식용유를 흡수시킨다.
④ 세탁을 할 때 적정량의 세제만 사용한다.

4. '천 리 길도 한 걸음부터'는 무슨 뜻인지 추측해 보십시오.

말하기

환경보호 방법 제안하기

※ 환경보호 방법에 대해 이야기해 보십시오.

• 대기
• 수자원

1. 여러분이 실천할 수 있는 환경보호 방법에 대해 생각해 보십시오.

- 오염을 줄이기 위해서(대기, 토양, 수질)
- 지구온난화를 막기 위해서
- 쓰레기의 양을 줄이기 위해서

1) 무엇을 선택했습니까?
2) 그것과 관련하여 어떤 일을 할 수 있습니까?
3) 그 일을 실천하면 어떤 효과가 있습니까?

2. 다음과 같이 이야기해 보십시오.

예

저는 환경보호를 위해서 수질오염을 줄이는 **방법을 이야기하고자 합니다. 저는** 요리를 할 때에 기름을 최대한 아껴서 사용하**기 위해 노력합니다.** 기름을 적게 사용하면 설거지를 할 때 기름의 양이 적**기 때문에** 그만큼 물**이 오염되는 것을 방지할 수 있습니다. 또한** 세탁을 할 때 빨래를 많이 모아서 하고 천연 세제를 사용**합니다. 그러면** 물을 절약할 수 있고 수질오염도 막을 수 있습니다. **그래서 그 일을 실천하다 보니** 물의 사용량이 줄어 수자원의 낭비를 막을 수 있고 환경도 보호할 수 있는 일석이조의 **효과가 있습니다.**

읽기

포스터 내용 이해하기

- 훼손되다
- 악영향
- 녹색
- 생활화
- 플라스틱
- 애용하다
- 분해되다
- 플러그
- 대기전력
- 수도꼭지
- 친환경
- 급가속

※ 다음을 읽고 물음에 답해 보십시오.

무분별한 개발로 인하여 환경의 많은 부분이 훼손되었다. 심각한 환경오염은 사람에게까지 악영향을 미치고 있다. 따라서 많은 나라들이 환경보호를 위해 노력하고 있다. 한국에서도 많은 캠페인과 포스터를 통해 환경을 보호하기 위해 노력하고 있다. 아래의 포스터는 환경보호를 위하여 환경부에서 제작한 것이다.

1. 이 포스터에 어울리는 표어를 고르십시오.

① 에너지를 절약하여 돈을 아끼자.
② 플라스틱의 사용을 줄이는 습관을 갖자.
③ 과속하지 않는 습관으로 사고를 예방하자.
④ 환경을 보호하는 다양한 방법을 실천하자.

• 텀블러
• 이산화탄소

2. 이 포스터를 보고 한 행동으로 옳지 <u>않은</u> 것을 고르십시오.

① 메이는 환경도 위하고 건강도 지킬 겸 매일 걸어서 등하교한다.
② 파하드는 커피숍에서 자신의 텀블러를 사용하여 커피를 마신다.
③ 자르갈은 기름을 절약하기 위해서 최대한 빠른 속도로 운전을 한다.
④ 아멜리는 학교에 오기 전에 집안에 있는 컴퓨터의 플러그를 뽑는다.

3. 이 포스터의 내용으로 옳은 것을 고르십시오.

① 에어컨의 온도를 1도만 높이면 많은 양의 이산화탄소를 만들 수 있다.
② 전자제품을 사용하지 않으면 플러그를 뽑지 않아도 전기가 절약된다.
③ 마트에서 장바구니를 사용하면 일회용 비닐 봉투 값을 아낄 수 있다.
④ 폐품을 재활용하면 이산화탄소가 만들어지는 것을 줄일 수 있다.

쓰기

※ 환경보호에 대한 포스터를 만들어 보십시오.

1. 다음 환경보호 포스터를 잘 보고 그 의미를 생각해 보십시오.

2. 포스터에 들어갈 내용을 생각해 보십시오.

1) 어떤 표어를 쓰겠습니까?
2) 들어갈 내용은 무엇입니까?
3) 어떤 그림이 들어가며 그 의미는 무엇입니까?

3. 아래의 표를 완성해 보십시오.

포스터에 들어갈 표어	
포스터에 들어갈 내용	
포스터에 들어갈 그림	

4. 위의 표를 바탕으로 포스터를 완성해 보십시오.

문화 이해하기

비무장지대(非武裝地帶, DMZ)

– 살아 있는 자연의 보고 –

한국은 휴전 협정에 의해서 휴전선으로부터 남북으로 각각 2km가 비무장지대로 정해져 있다. 비무장지대는 50년 넘게 사람의 출입이 통제된 구역이기 때문에 그 자연 상태가 잘 보존되어 있어 자연을 연구하기에 좋은 곳으로 알려져 있다. 전쟁 후 온통 까맣게 탄 재만 있던 비무장지대는 사람이 들어가지 못하자 풀과 나무가 서서히 살아나 새 숲이 만들어졌다. 그리고 이곳이 아니면 볼 수 없는 희귀한 동식물들이 살아가는 낙원이 되어 희귀종 146종을 비롯해 288여종의 동식물들이 살아가는 것으로 조사되었다.

2013년 9월에 환경부는 비무장지대의 생태적 중요성을 알리고자 비무장지대를 대표하는 생물 12종을 발표하였다. 그 중에서 비무장지대를 상징하는 동물은 두루미이다. 두루미는 행운과 평화의 상징으로 여겨, 조선시대에는 의복에도 수를 놓았고 오늘날에는 500원 짜리 동전에도 그려져 있다. 두루미는 전 세계에 1,700마리밖에 안 되는데 그 중에서 삼분의 일이 이곳을 찾는다. 이 새는 넓고 조용한 곳을 좋아해서 사람의 발길이 닿지 않는 자연환경에서만 살 수 있다. 전 세계의 두루미 수가 크게 줄어든 것은 사람이 살지 않는 곳이 거의 없어졌기 때문이다. 이렇게 비무장지대는 멸종되어 가는 동물들의 쉼터이며 한국인에게뿐만 아니라 세계인에게 소중한 자연유산이다.

하지만 비무장지대는 야생동물이 살기 좋은 곳인 동시에 위험한 곳이기도 하다. 이곳에는 전쟁의 잔재로 많은 지뢰가 묻혀 있다. 지뢰는 상대방의 침입을 막기 위한 것이지만 이것을 동물들이 밟아서 다리가 하나 없는 동물들도 많고 죽은 동물들도 많다. 수많은 지뢰들이 방치되어 있는 이 지역을 어떻게 할 것인가는 앞으로 결정해야 할 중요한 과제이다.

휴전하겠다는 약속으로 만들어진 비무장지대는 통일이 되면 다양한 방법으로 개발이 될 것이다. 그러면 이곳에 있는 많은 동식물들은 어떻게 될까? 그래서 사람들은 동식물과 사람이 공존하는 방법을 찾고 있다. 바로 이곳을 생태 공원으로 개발하자는 것이다. 남북이 함께 비무장지대의 보존을 위해서 이곳의 자연 생태를 조사하다 보면 통일도 더 앞당겨질 것이다.

- 휴전
- 협정
- 휴전선
- 남북
- 보존되다
- 재
- 풀
- 서서히
- 희귀하다
- 동식물
- 낙원
- 희귀종
- 생태적
- 생물
- 두루미
- 발길
- 자연유산
- 야생동물
- 잔재
- 지뢰
- 침입
- 통일
- 앞당기다

※ 이야기해 보십시오.

1. 이 지역을 관광 상품으로 개발하는 것에 대해 어떻게 생각하십니까? 환경보호와 관련하여 여러분의 생각을 이야기해 봅시다.

2. 여러분 나라에도 자연이 파괴되지 않은 곳이 있습니까? 그곳은 어떤 곳이고 어떻게 보호가 되고 있는지 소개해 봅시다.

M.E.M.O.

제12과 말과 글

준비하기 1
조언하기
V-(으)ㄹ 따름이다, N일 따름이다
N-(으)로서

준비하기 2
전망하기
V기는 V-(으)ㄴ/는데, N(이)기는 N(이)ㄴ데
V-아/어/여 봤자

듣기
언어와 문자에 대한 강연 듣기

말하기
한국어와 모국어 대조하기

읽기
수필 읽기

쓰기
자신의 경험을 서술하는 글쓰기

문화 이해하기
고사성어의 유래

준비하기1 434

조언하기

- 틀어지다
- 기껏
- 언성
- 토라지다
- 꽝
- 아 해 다르고 어 해 다르다

메 이: 시험 준비로 잠을 못 잤어요? 기운이 없어 보여요.

아멜리: 시험 준비도 시험 준비인데 더 큰 문제가 생겼어요. 룸메이트가 제 말을 오해해서 사이가 좀 틀어졌거든요.

메 이: 룸메이트랑은 바늘과 실처럼 항상 붙어 다녔었잖아요. 도대체 무슨 일이 있었던 거예요?

아멜리: 곧 시험이잖아요. 그래서 룸메이트랑 집에서 시험 준비를 하고 있었는데 그 친구가 이것저것 시험에 도움이 될 만한 얘기를 많이 해 주는 거예요. 제 룸메이트가 한국인인 건 알죠?

메 이: 그럼요. 아멜리 씨가 말하기를 잘하는 비결이기도 하잖아요.

아멜리: 맞아요. 정말 둘도 없는 좋은 친구죠. 아무튼 그때 굉장히 고맙긴 했지만 그 친구도 시험 기간인데 제 공부만 도와주니까 걱정이 되더라고요. 그래서 "어서 가서 네 시험 준비부터 잘해"라고 말했을 따름이에요. 그랬더니 기껏 도와줬는데 하는 말이 그거냐며 언성을 높이고 토라져서 문을 꽝 닫고 나가 버리는 거예요. 도대체 제가 뭘 잘못한 거죠?

메 이: 혹시 룸메이트가 아멜리 씨의 말을 "내 일에 신경 쓰지 말고 가서 너의 일이나 잘해라"라는 식으로 이해한 것 아니에요? '아 해 다르고 어 해 다르다'는 말도 있잖아요.

아멜리: 아 해 다르고 어 해 다르다고요?

메 이: 같은 내용의 이야기라도 이렇게 말할 때 다르고 저렇게 말할 때 다르다는 말이에요. 아무래도 느낌의 차이 때문에 오해를 한 게 아닐까요?

아멜리: 아, 그 말도 일리가 있긴 있네요. 전 그냥 친구로서 걱정이 돼서 한 말이었는데…

메 이: 룸메이트가 성격이 원만하니까 조금만 설명해도 쉽게 아멜리 씨의 마음을 이해할 거예요. 걱정 말고 어서 가서 잘 설명하고 오해를 푸는 게 좋겠어요.

아멜리: 좋아요. 어서 연락해 봐야겠어요. 그 당시에 오해한 것 같다고 말은 했지만 너무 당황해서 제가 한 말의 의미는 제대로 설명을 못했거든요. 오늘 다시 얘기해 봐야겠어요.

메 이: 누구나 실수할 때가 있잖아요. 너무 풀 죽어 있지 말고 기운 내세요.

1. V-(으)ㄹ 따름이다, N일 따름이다

: 현재의 상황 이외에 다른 가능성이나 다른 선택이 없음을 나타낸다.

1) 가: 나는 너만 믿을 따름이야.

나: 그래, 걱정하지 말고 나만 믿어. 내가 다 책임질게.

2) 가: 동생이 대학에 합격했다면서요?

나: 네. 동생의 합격 소식을 들으니까 그저 기쁠 따름이에요.

3) 가: 그걸 그렇게 하면 어떻게 해요?

나: 저는 시키는 대로 했을 따름인데 왜 화를 내요?

4) 가: 이런 상황이 안타까울 따름이네요.

나: 그러게요. 그런 사고를 당하다니…

5) 가: 요즘 부동산에 투자하면 돈을 많이 벌 수 있다는데 한번 해 볼래요?

나: 저는 그저 공부하는 학생일 따름이에요. 그런 거 할 돈이 어디 있겠어요?

- 가장
- 맏이
- 이방인
- 보장되다
- 장담하다

2. N(으)로서

: 지위나 신분, 자격이 있음을 나타내거나 그 입장이나 상황에 있음을 나타낸다.

1) 가: 한 학기 동안 우리 반을 잘 챙겨줘서 고마워요.

나: 아니에요. 반장으로서 당연히 해야 할 일을 했을 뿐이에요.

2) 가: 이건 친구로서 하는 말인데 공부를 좀 더 열심히 하는 게 좋겠어.

나: 알겠어. 노력은 해 볼게.

3) 가: 한 소년 가장이 자신보다 더 가난한 사람을 도왔다는 뉴스 봤어요?

나: 네, 맏이로서 동생들을 돌보는 것만으로도 힘들었을 텐데 정말 대단하더라고요.

4) 가: 외국에서 이방인으로서 사는 것이 쉬운 일은 아니지요.

나: 그래서 많은 외국인들이 향수병에 걸리나 봐요.

5) 가: 이 전공을 선택하면 졸업 후의 진로가 보장됩니까?

나: 지금으로서는 장담하기 어렵지만 전망은 밝다고 합니다.

연습하기

1. 다음과 같이 이야기해 보십시오.

- 기
- 정상적

그 사람이 왜 화를 내는지 모르겠다
오히려 화를 내다 / 제가 기가 막히다
가: 그 사람이 왜 화를 내는지 모르겠**어요.**
나: 오히려 화를 내**니까** 제가 기가 막힐 **따름이에요.**

1) 정말 수고가 많다
당연히 제가 해야 할 일이다 / 하다
2) 다음 주에 고향으로 돌아가다
헤어질 생각을 하다 / 아쉽다
3) 대학교 합격을 축하하다
저 같은 사람이 합격을 하다 / 신기하다
4) 지금 저한테 왜 따지는 건지 모르겠다
그 일에 대해서 오해를 하다 / 저는 이유를 말했다
5) 요즘 우리 아이가 낯가림이 심해져서 고민이다
그건 정상적인 발달 과정이다 / 괜한 걱정이다

2. 다음과 같이 이야기해 보십시오.

- 물러나다
- 교직
- 각오

이번에 발생한 문제를 어떻게 해결하겠다
대표 / 이번 사건의 책임을 지고 물러나겠다
가: 이번에 발생한 문제를 어떻게 해결하겠**습니까?**
나: 대표**로서** 이번 사건의 책임을 지고 물러나겠**습니다.**

1) 교직생활을 시작하면서 다진 각오가 있다
선생님 / 최선을 다하기 위해 노력하겠다
2) 자유에 대해서 어떻게 생각하다
인간 / 가지는 최소한의 권리라고 생각하다
3) 어떻게 하면 지성 씨처럼 부모님께 잘할 수가 있다
자식 / 부모님에게 효도하는 것은 당연한 일이다
4) 책과 비슷한 의미를 가진 단어는 어떤 것이 있다
책과 비슷한 의미를 갖는 단어 / 서적이 있다
5) 5급에 가려면 어떻게 해야 하다
현재 / 시험 준비를 열심히 하는 것이 가장 좋은 방법이다

준비하기2 435

- 표준어
- 방언
- 흉내
- 경상도
- 전라도
- 소멸되다
- 유네스코
- 어감
- 설화
- 풀어내다
- 세련되다
- 인디밴드

박지성: 이번 방학 때 제주도로 여행 가나 봐요?

아멜리: 네, 아직 한 번도 못 가 봤거든요. 여행 책을 보면서 이것저것 계획하는 중이었어요. 제주도 사투리는 표준어와 많이 다르다던데 혹시 못 알아들을까봐 걱정이에요.

박지성: 사투리를 쓰는 사람이 있기는 있는데 동네에서 할머니를 만난다면 모를까 관광지에서는 아무 문제도 없을 거예요. 제주 방언은 한국 사람들도 뜻을 알아듣기는커녕 흉내조차 내지 못하는 말이거든요.

아멜리: 그러고 보니 경상도나 전라도 사투리는 드라마나 영화를 통해서도 자주 듣곤 했는데 제주도 사투리는 들어본 적도 없어요.

박지성: 실제로 어떤 조사에 따르면 제주도 사투리가 점점 소멸되고 있대요. 얼마 전에 텔레비전에서도 봤는데 제주도에서 학교를 다니는 학생들도 제주 방언을 모른다고 하더라고요.

아멜리: 표준어와 많이 다르기도 하고, 제주도가 워낙 유명한 관광지다 보니 사투리보다는 표준어를 더 자주 사용하기 때문이 아닐까요?

박지성: 제 생각도 그래요. 유네스코에서 제주어를 한국어의 한 방언이 아니라 개별 언어로 분류한 것만 봐도 알 수 있죠. 게다가 아멜리 씨 말대로 사투리를 써 봤자 관광객들은 알아듣지도 못하니 덜 사용할 수밖에 없겠네요.

아멜리: 하나의 언어가 사라지면 그 언어가 담고 있는 사고 역시 함께 사라진다고 하던데 제주도 특유의 지역 문화가 사라지면 어쩌죠?

박지성: 그래서 요즘 제주 방언을 살리자는 움직임이 일고 있어요. 어감이 특이하거나 아름다운 제주 방언을 여행객에게 소개하기도 하고, 제주 설화를 제주어로 풀어낸 스마트폰 애플리케이션을 개발한 사람도 있고요. 또 사투리는 세련되지 못하다는 인식을 바꾸기 위해 제주어로 노래하는 젊은 인디밴드도 생겨났대요.

아멜리: 정말 좋은 변화네요. 그럼 저도 여행 가기 전에 제주 방언을 몇 개 배워 봐야겠네요.

3. V기는 V-(으)ㄴ/는데, N(이)기는 N(이)ㄴ데

: 일부는 긍정하면서 일부분을 부정하는 뜻을 나타낼 때 사용한다.

• 고가

1) 가: 설이라 도로가 꽉 막힐 줄 알았는데 생각보다 차들이 잘 빠지네요.
   나: 차들이 가기는 가는데 빨리 가지 못하고 가다 서다를 반복하고 있어요.
2) 가: 늦었는데 택시를 타지 그래요?
   나: 택시가 빠르기는 빠른데 값이 너무 비싸잖아요.
3) 가: 어제 산다고 했던 그 노트북 검색해 보니 정말 성능이 좋더라고요.
   나: 노트북 성능이 좋기는 좋은데 너무 고가라서 못 샀어요.
4) 가: 자르갈 씨가 내일 몇 시에 출국한다고 했죠?
   나: 시간을 듣기는 들었는데 잊어버렸어요.
5) 가: 너 저 사람 알아?
   나: 아는 사람이기는 아는 사람인데 그냥 인사만 하는 사이야.

4. V-아/어/여 봤자

: 앞문장의 내용을 시도해도 기대에 미치지 못함을 나타낸다.

1) 가: 약속 시간까지 5분밖에 안 남았으니까 좀 서둘러 걷자.
   나: 지금 아무리 서둘러 봤자 5분 안에 도착하기는 힘들어.
2) 가: 그렇게 돈이 많은데도 성격이 나쁘니까 주변에 사람이 없다고 하더라고요.
   나: 돈이 많아 봤자 사람의 마음을 살 수는 없지요.
3) 가: 세상에 그 사람보다 착한 사람도 없을 거예요.
   나: 사람이 착해 봤자 얼마나 착하겠어요?
4) 가: 난치병인 친구가 유능한 의사에게 수술까지 받았지만 결국 세상을 떠났어요.
   나: 아무리 유능한 의사여 봤자 난치병을 고치기는 어렵죠.
5) 가: 이 복사기가 왜 이러지? 다시 껐다 켜도 말을 안 듣네.
   나: 그거 고장 나서 켜 봤자 작동이 안 될 거예요.

연습하기

1. 다음과 같이 이야기해 보십시오.

- 혼내다
- 출석률
- 일출
- 동해

보고서 기한이 오늘까지이다 / 내지 않았다
보고서를 완성했다 / 아직 정리를 못했다
가: 보고서 기한이 오늘까지인**데 왜** 내지 않았**어요?**
나: 보고서를 완성하**긴** 완성했**는데** 아직 정리를 못했**거든요.**

1) 형이 동생의 물건을 빼앗다 / 혼내지 않다
   혼내야 하다 / 쇠귀에 경 읽기이다
2) 손에 뭐가 묻었다 / 손을 씻지 않다
   손을 씻어야 하다 / 작업이 아직 안 끝났다
3) 통증이 심해 보이다 / 병원에 안 가다
   아프다 / 아직은 참을 수 있다
4) 그 학생은 결석도 한 번 안 했다 / 진급할 수 없다
   출석률이 좋다 / 성적이 나쁘다
5) 모두가 일출을 보러 동해에 갔다 / 혼자 남았다
   가고 싶었다 / 업무가 밀려 있다

2. 다음과 같이 이야기해 보십시오.

- 내밀다
- 결백
- 제한구역
- 말리다

이번에는 다른 방법을 사용하다 / 그분을 설득하다
그렇게 하다 / 소용이 없다
가: 이번에는 다른 방법을 사용**해서** 그분을 설득하**려고 해요.**
나: 그렇게 **해 봤자** 소용이 없**을 거예요.**

1) 조금 더 고민하다 / 결정하다
   망설이다 / 결과가 달라지지 않다
2) 다른 가게에 가다 / 더 보고 결정하다
   아무리 고르다 / 그게 그것이다
3) 마음이 불편하다 / 제가 먼저 사과하다
   먼저 손을 내밀다 / 받아들이지 않다
4) 아무도 그를 믿지 못하는 게 안타깝다 / 모두에게 그 사람의 결백을 알려 주다
   사실을 밝히다 / 다른 사람들이 그를 신뢰하지 않다
5) 그곳은 여행 제한구역이다 / 못 가게 말리다
   가지 말라고 말리다 / 그 사람은 떠나다

듣기 436

언어와 문자에 대한 강연 듣기

※ 다음을 잘 듣고 물음에 답해 보십시오.

1. 이 강연의 제목을 쓰십시오.

2. 들은 내용으로 맞는 것을 고르십시오.

① 한국인들은 한글에 대해 뿌듯한 마음을 느낀다.
② 한글을 사용하는 인구는 급격히 증가하고 있다.
③ 여러 논문들을 통해 한글의 우수성이 증명되었다.
④ 한국의 경제가 발전하면서 한글도 발전하고 있다.

3. 들은 내용 중 문자에 대한 설명으로 맞는 것을 고르십시오.

① 문자는 언어에 어떤 영향도 주지 못한다.
② 문명사회는 권력의 여부에 달려 있다.
③ 문자에는 지식을 정립하는 능력이 있다.
④ 문자가 다르면 나라도 달라질 수 있다.

4. 들은 내용에 나타난 강연자의 심정으로 알맞은 것을 고르십시오.

① 사용 인구가 적은 탓에 사라지는 문자가 많아서 안타깝다.
② 한글이 미래에도 사용될지에 대해 우려하는 마음이 있다.
③ 세계 인구 가운데 적은 수가 한글을 사용해서 부끄럽다.
④ 한글뿐만 아니라 영어도 공부하는 학생들이 자랑스럽다.

5. 강연자가 말하는 한글이 살아남기 위한 방법은 무엇입니까?

- 인문학
- 반포하다
- 원리
- 한반도
- 소수
- 민족
- 살아남다
- 언어학
- 핵심
- 좌지우지하다
- 기록하다
- 문명사회
- 부딪히다
- 권력
- 정립하다
- 보편화
- 과언
- 생명력
- 생산적
- 급격히
- 우수성
- 우려하다

말하기

※ 한국어와 모국어에 대해 이야기해 보십시오.

1. 한국어와 모국어에 대해 어떤 유사점과 차이점이 있는지 생각해 보십시오.

1) 한국어에는 어떤 특징이 있습니까?

2) 모국어에는 어떤 특징이 있습니까?

2. 다음과 같이 이야기해 보십시오.

예

가: 한국어와 영어는 소리 나는 대로 쓸 수 있는 글자를 사용한**다는 점에서** 공통점이 있어.

나: **맞아.** 하지만 문장의 구조는 완전히 다르지. **예를 들어,** 한국어로는 '나는 학교에 간다'라고 하지만 영어로는 '나는 간다 학교에'라고 하**는 것처럼 말이야.**

※ 다음을 읽고 물음에 답해 보십시오.

미역국보다 더 따뜻한 말

2002년 한일 월드컵 경기가 있고 나서 사람들은 나와 감독님을 끈끈한 정이 넘치는 사이로 안다. 네덜란드 출신의 감독님은 나정다감하기보다는 엄격한 편이다. 몇 년 전에 찍은 광고에서처럼 소속 선수에게 미역국을 끓여 주는 감독님의 모습은 상상도 못할 일이다. 하지만 감독님의 마음은 미역국 한 그릇보다 더 따뜻하다는 것을 말하고 싶다.

나는 어려서부터 축구를 하였고, 집안 형편이 넉넉하지 않아 축구 하나만을 보고 살았다. 처음 평가전을 치를 때 나는 주목 받지도 못했고 각 자리에는 이미 이름난 선수들이 꽉 들어차 있어 어린 나에게까지 기회가 올 것이라는 욕심은 부리지 않았다. 그런데 감독님은 평가전에서 나에게 예상 외로 많은 기회를 주시고 시합에 내보낼 뿐 다른 말씀은 전혀 없었다.

그러던 어느 날 나는 왼쪽 다리에 부상을 입어 시합에 나가지 못해 텅 빈 탈의실에 혼자 남아 있었다. 그때 감독님이 나타나셔서 영어로 뭐라고 말씀하셨고 이어 통역관이 내게 통역을 해 줬다.

"정신력이 훌륭하대요. 그런 정신력이면 반드시 훌륭한 선수가 될 수 있을 거라고 말씀하셨어요."

당황하여 뭐라 대답하기도 전에 감독님은 뒤돌아 나가셨고 나는 고맙다는 말도 하지 못하였다. 감독님이 내 곁에 다가와 내 정신력이 훌륭하다는 말을 하였다는 것만으로도 힘이 솟았다. 그리고 월드컵 내내 그날 감독님이 던진 칭찬 한마디를 생각하며 경기에 임하였다.

사실 나는 평발이다. 한 병원 의사는 내 발을 보고 평발인 사람이 축구 선수를 하는 것은 장애를 극복한 인간 승리라고 말하기도 했다. 난 그렇게 보잘것없는 나의 조건을 정신력 하나로 극복하였다. 그런데 감독님은 아무도 알아주지 않는 여드름투성이 어린 선수의 마음을 읽고 있기라도 한 듯 '정신력이 훌륭하다'라는 칭찬을 해 주신 것이다.

만약 내가 감독님을 만나지 못하였다면 지금의 나는 없었을 것이다. 이 말은 지금 내 자신이 유명인이 되었다거나 형편이 넉넉해졌다는 것을 의미하는 것이 아니다. 전보다 나 자신을 더 사랑하게 되었다는 것이다. 감독님이 던진 1분도 안 되는 그 말 한마디가 앞으로 내가 살아갈 나머지 인생을 바꾸어 놓았다.

- 끈끈하다
- 넘치다
- 엄격하다
- 평가전
- 주목
- 들어차다
- 부상
- 텅
- 탈의실
- 정신력
- 뒤돌다
- 솟다
- 평발
- 보잘것없다
- –투성이

- 수필
- 논설문
- 온화하다

1. 이 글의 종류로 알맞은 것을 고르십시오.

① 소설　　② 수필　　③ 기행문　　④ 논설문

2. 밑줄 친 부분에 나타난 글쓴이의 기분으로 알맞은 것을 고르십시오.

① 반갑다　　② 놀랍다　　③ 아쉽다　　④ 시원하다

3. 이 글에서 평발을 극복한 글쓴이의 힘은 무엇인지 찾아서 쓰십시오.

4. 이 글의 내용과 같은 것을 고르십시오.

① 감독님은 한국어를 유창하게 잘하신다.
② 감독님의 성격은 부드럽고 온화한 성격이다.
③ 감독님의 칭찬 덕분에 큰 힘을 얻을 수 있었다.
④ 미역국을 끓여 주시는 감독님의 모습은 익숙하다.

쓰기

자신의 경험을 서술하는 글쓰기

※ 자신의 경험에 대해 글을 써 보십시오.

1. '말'과 관련된 경험에 대해 생각해 보십시오.

1) 지금까지 살면서 다른 사람에게 들었던 잊을 수 없는 말 한 마디가 있습니까?
2) 언제 어떤 상황에서 들었던 말입니까?
3) 그 말이 여러분에게 어떤 영향을 끼쳤습니까?

2. 생각한 내용을 바탕으로 개요를 완성해 보십시오.

처음	
중간	
끝	

3. 개요를 바탕으로 글을 써 보십시오.

문화 이해하기

- 고사성어
- 유래되다
- 비유적
- 함축되다
- 비유
- 관용구
- 사자성어
- 넘어오다
- 본래
- 엉뚱하다
- 뼈
- 영의정
- 어질다
- 정승
- 관복
- 새다
- 안쓰럽다
- 궁리
- 묘안
- 공교롭다
- 매섭다
- 몰아치다
- 장사꾼
- 영감
- 곯다
- 알
- 후대
- 해석하다
- 둔갑하다
- 여하튼

계란에도 뼈가 있다?

고사성어(故事成語)는 옛이야기에서 유래된 말로 비유적인 내용을 담은 함축된 글이다. 이것은 교훈이나 비유, 관용구 등으로 사용되어 일상 언어생활에서 표현을 풍부하게 한다. 한국과 중국에서 발생한 고사성어는 주로 네 글자로 된 것이 많기 때문에 사자성어(四字成語)라고도 한다. 이들 중에는 중국에서 넘어온 게 아니라 본래 한국 고유의 속담인데 나중에 한자성어로 바뀌어 사용되면서 원래의 모습에서 엉뚱하게 변한 속담도 있다.

그 대표적인 것이 '계란에도 뼈가 있다'는 속담이다. 이 말은 일이 잘 안되던 사람이 모처럼 좋은 기회를 만났으나 그 기회마저 역시 잘 안될 때 사용하는 속담이다. 계란에도 뼈가 있는 것과 일이 잘 안되는 것이 무슨 관계가 있는 것일까?

조선 세종 때 영의정을 지낸 황희(1363~1452)는 어질고 검소한 생활을 하였다. 그는 18년 동안 영의정으로 일하면서도 검소한 생활로 백성들의 존경을 받았다. 황희 정승은 매우 검소하여 관복도 한 벌로만 지내고 장마철에는 집에 비가 샐 지경이었다. 세종대왕은 황희 정승의 생활이 이처럼 가난한 것을 안쓰럽게 여기고 도와줄 방법을 생각하였다.

궁리 끝에 묘안을 얻은 왕은 "내일 아침 일찍 남대문을 열고 나서 문을 닫을 때까지 문안으로 들어오는 물건을 다 사서 황희 정승에게 다 주도록 하여라"라고 하였다. 그러나 공교롭게도 그날은 온종일 비바람이 매섭게 몰아쳐 문을 드나드는 장사꾼이 한 명도 없었다. 그러다가 날이 어두워져 문을 닫으려 할 때 어떤 시골 영감이 계란 한 꾸러미를 들고 들어왔다. 왕의 말대로 이 달걀을 사서 황희 정승에게 주었다. 그런데 그 달걀을 집으로 가지고 와서 삶았으나 모두 곯아서 한 알도 먹지 못하였다.

이때 '계란이 곯았다'라는 말을 한자로 '계란유골(鷄卵有骨)'이라고 적었다. '곯다'라는 말을 한자로 옮기면서 마땅한 표현이 없어서 한자의 발음이 비슷한 말을 빌려 '골(骨)'로 적었던 것이다. 그런데 후대에 이 고사성어가 생긴 유래를 몰라서 '골(骨)'을 한자의 뜻 그대로 '뼈'로 해석하면서 '계란에도 뼈가 있다'라는 속담으로 둔갑한 것이다.

여하튼 먹을 수 없게 된 계란이라는 뜻은 같으며, '계란이 곯았다'는 것보다는 '계란에도 뼈가 있다'는 표현을 통해서, '운이 없는 사람은 좋은 기회를 얻어도 역시 일이 잘 안된다'는 의미를 전달하고 있다.

※ 이야기해 보십시오.

1. 여러분이 알고 있는 '말'과 관련된 한국 속담을 이야기하고 의미를 이야기해 봅시다.

2. 여러분 나라에도 옛이야기를 통해 가르침을 주는 말이 있으면 친구들에게 소개해 봅시다.

부록

- 듣기지문
- 모범답안
- 색인

듣기지문

1 유학

듣기 403

진행자: 오늘은 이세종 교수님을 모시고 초등학생들의 조기 유학에 대한 이야기를 나눠 보도록 하겠습니다. 교수님, 안녕하세요?

교수님: 네, 안녕하세요.

진행자: 바쁘신데 이렇게 시간을 내 주셔서 감사합니다. 요즘 서울을 비롯한 대도시에서 초등학생을 대상으로 하는 조기 유학 바람이 갈수록 거세지고 있는데요, 교수님께서는 이러한 원인이 무엇이라고 생각하십니까?

교수님: 글쎄요. 제 생각에 가장 큰 이유는 원어민 수준의 외국어를 습득할 수 있기 때문이라고 봅니다. 조기 유학을 한 학생들은 그렇지 않은 학생들에 비해 외국어를 훨씬 능숙하게 구사합니다. 유학을 하면 그 나라에서 사용되는 언어를 쉽게 익힐 수 있는 장점이 있지요.
뇌를 연구하는 학자들에 따르면 어학과 관련된 뇌의 능력은 10세를 전후하여 90%가 결정된다고 합니다. 따라서 초등학교 시절에 어학 교육이 이루어지면 외국어도 자연스럽게 받아들일 수 있고 또래들과 어울리면서 외국 문화도 쉽게 습득할 수 있다고 부모들은 생각하는 것 같습니다.

진행자: 네, 그렇다면 이러한 조기 유학에 대해서 교수님은 어떻게 생각하십니까?

교수님: 조기 유학을 통하여 언어를 어느 정도 배울 수 있다는 점은 저도 인정합니다. 하지만 부모님의 희생이 따르는 데다가 많은 비용과 시간을 투자해야 하기 때문에 심각하게 고민해서 결정해야 합니다. 외국어가 아무리 중요하다고 해도 아이들의 정서적인 부분과 부모의 사랑을 포기해야 할 정도로 대단한 것은 아니기 때문입니다. 또한 조기 유학을 하고도 실력이 의심스러운 사람이 있습니다. 외국어 실력을 향상시키기 위해서는 오히려 학교나 가정에서 아이의 성장과정에 맞게 가르치는 것이 좋습니다. 유학은 사리 판단이 분명하고 독립적으로 의사를 결정할 수 있는 성인이 되었을 때 가는 것이 좋다고 봅니다.

2 대인관계

듣기 406

오늘의 첫 번째 고민은 용현동에 사시는 '소심남'이라는 분께서 보내셨습니다. 사연을 들어보고 어떤 조언을 해드릴 수 있을지 한번 생각해 봤으면 좋겠습니다.

안녕하세요? 저는 고민이 너무 많은 대학교 2학년 남학생입니다. 저는 중고등학교 때부터 친구가 많지 않았습니다. 지금도 그냥 인사만 하는 친구를 제외하고 친하게 지내는 친구가 없고 여자 친구도 없습니다. 친구를 어떻게 사귀어야 할지 잘 모르겠고 사람들과 어울리는 것이 마냥 부담스럽고 힘이 듭니다.

게다가 저는 사람을 처음 만나면 남자 앞이나 여자 앞이나 할 것 없이 항상 얼굴이 빨개지고 그 사람의 눈도 잘 쳐다보지 못합니다. 그래서 사람들은 제가 거짓말을 하고 있다거나 사람을 무시한다는 등의 오해를 하고 맙니다. 처음 알게 된 낯선 사람이 제 앞에 있으면 심장이 두근거리고 손까지 떨려서 그런 것뿐이거든요.

또 "좋다, 싫다" 등의 의사표현을 분명히 하지 못해서 힘든 일을 경험한 적도 있습니다. 한 번은 친구들이 생선회를 먹으러 가자고 해서 같이 간 적이 있었는데, 배가 아프다는 핑계를 대고 아무 것도 먹지 않고 돌아오고 말았습니다. 사실 저는 생선을 먹으면 몸이 가려운 증상이 있습니다. 친구들이 생선회를 먹고 싶어 하는데 제가 생선 알레르기가 있다고 말하면 친구들에게 피해를 주는 것 같아서 말을 할 수가 없었습니다.

이런 제 모습이 변하지 않는 한 대인관계가 좋아질 수 없다는 것을 압니다. 하지만 구체적으로 무엇을 어떻게 고쳐야 할지 잘 모르겠습니다. 조언을 해 주시면 고칠 수 있도록 노력을 하겠습니다.

3 봉사

듣기 409

요즘 기부와 봉사에 대한 인식의 변화가 이루어지고 있는데요, 그 대표적인 예가 바로 재능기부입니다. 흔히 기부라고 하면 사회적 약자에게 단순히 물질적이고 금전적인 도움을 주는 것만을 떠올리는데요, 재능기부란 통역 봉사나 교육 봉사처럼 개인이 갖고 있는 재능을 활용해 사회에 봉사하는 새로운 기부 형태를 말합니다. 즉 개인이 가진 재능을 사회단체 또는 공공기관 등에 기부하여 사회에 공헌하는 것이죠. 최근 이러한 재능기부가 사회 여러 곳에서 활발하게 이루어지고 있다고 합니다.

하나의 구체적인 사례로 어느 중학교의 학생들은 학교 교육과정 속에서 바이올린, 첼로를 배워 이것을 봉사하는 데에 활용하고 있다고 합니다. 이들은 매년 고아원에 찾아가 상대적으로 문화적 혜택이 적은 이들을 위해 작은 음악회를 열어 주고, 놀이 봉사를 하는 등 재능기부를 활발히 하고 있습니다.

재능기부는 물질이나 특별한 기술을 요하는 것이 아니기 때문에 어린이부터 청소년, 노인까지 남녀노소 누구나 할 수 있는데요, 특히 청소년기에 하는 재능기부는 나눔을 부담 없이 실천할 수 있는 계기가 되고, 더불어 사는 삶의 중요성을 깨닫게 합니다. 이를 통해 자연스럽게 인성 교육으로 이어질 수 있다는 장점도 있지요. 또한 재능기부는 각자가 가진 재능을 사회에 환원한다는 데 큰 의미가 있습니다. 일회성의 금전기부와는 달리 재능기부는 지속적이며 발전적인 봉사의 형태로 자리매김하고 있는 것입니다.

4 건강

듣기 412

사회자: 건강에 대한 관심이 높아지면서 단 음식을 멀리하는 사람들이 증가하고 있습니다. 단맛을 좋아해서 먹고 싶지만 건강을 위해서 포기하시는 분들이 많은데요. 건강을 해치지 않으면서 단맛을 즐기는 법에 대하여 황현정 교수님을 모시고 이야기를 들어보겠습니다. 반갑습니다. 교수님.

전문가: 네, 안녕하세요.

사회자: 최근에는 단맛을 선호하던 많은 사람들이 자신의 건강을 위하여 그 기쁨을 포기하고 있는데요. 교수님께서는 어떻게 생각하시는지 궁금합니다.

전문가: 설탕을 조금씩 섭취하는 것은 나쁘지 않습니다. 하지만 설탕 속에는 인공 감미료가 많아서 맛을 제대로 느끼기가 쉽지 않지요. 또한 사탕이나 빵 등에 들어 있는 당분에는 열량이 많은 반면에 영양분은 별로 없습니다. 게다가 너무 빨리 소화되기 때문에 몸 안에 있는 당분의 양이 갑자기 올랐다가 떨어집니다. 그러면 몸의 상태가 불안정해지고 우리 몸은 더 많은 설탕을 찾게 됩니다.

사회자: 하지만 단 것을 먹고 싶은 욕구를 만족시켜 주면서도 몸에 좋은 대안이 있다고 들었습니다.

전문가: 네, 제가 예전에 한 번 소개한 적이 있는데요. 과일을 많이 드세요. 신선한 과일은 과자를 대신할 수 있는 좋은 군것질거리입니다. 과일은 단맛이 있으면서 섬유소가 풍부하다는 장점이 있습니다. 게다가 과일을 말리면 당분이 더 증가된다고 하는데요, 그래서 말린 과일은 영양분 덩어리라고 할 수 있습니다. 단, 말린 과일을 사 먹을 때는 인공 첨가물이 들어 있지 않은 천연 과일을 말린 것을 먹어야 합니다. 그렇지 않으면 오히려 열량 덩어리를 먹게 됩니다. 말린 과일이 싫으시다면 과일로 잼을 만들어서 먹는 방법도 있습니다. 일반적으로 잼을 만들 때는 설탕이 많이 들어가는데요, 설탕 대신 물엿이나 조청을 사용하면 충분히 단맛을 느끼실 수 있습니다. 또한 차가운 요구르트를 냉동 포도와 함께 먹는 것도 단 것을 먹고 싶은 욕구를 만족시킬 수 있습니다.

사회자: 좋은 정보 감사합니다.

5 여가

듣기 415

로 빈: 요즘 더 예뻐진 것 같네요. 연애 시작했어요?

아멜리: 아니요. 학원에 등록해서 춤을 배우고 있거든요. 재미있게 춤을 추면서 살도 뺄 수 있다기에 시작했는데 정말 괜찮아요. 신나는 음악에 맞춰 춤을 추고 나면 스트레스가 확 풀려요.

로 빈: 헬스클럽에서 그냥 운동만 하면 정말 재미가 없는데 재미있게 춤도 배우고 운동도 하고 꿩 먹고 알 먹기네요.

아멜리: 유연성도 기를뿐더러 몸매도 예쁘게 가꿀 수 있으니까 취미로 정말 최고예요.

로 빈: 그런데 공부하면서 댄스 스포츠를 배울 시간이 돼요?

아멜리: 학업 때문에 시간이 여유롭지는 못하다 보니까 매일은 못 가고 일주일에 두 번만 학원에 나가요. 바쁘지만 시간을 내서 이런 프로그램들에 참여를 하는 거죠.

로 빈: 맞아요. 바쁘다는 핑계로 계속 미루면 여가 생활은 영원히 즐길 수가 없어요. 그런데 비용은 얼마나 들어요? 굉장히 비쌀 것 같아요.

아멜리: 네. 학원비는 보통 20만 원 정도 드는데 문화센터나 구청 같은 기관에서도 강좌가 개설되어 있어요. 그런 데서는 훨씬 싸게 배울 수 있다고 해요. 그리고 댄스 스포츠 의상은 평범한 옷은 아니니까 좀 비싼 편이고요.

로 빈: 수강료뿐만 아니라 의상에도 신경을 써야 하니까 돈이 많이 들 법도 하네요. 하지만 비싼 만큼 그 가치가 있으니까 많은 사람들이 즐기겠지요?

아멜리: 맞아요. 비용이 많이 들기는 하지만 음악과 춤으로 신나게 운동도 할 수 있고 회원들과 함께 즐기면서 친목을 다질 수도 있어서 저는 적극 추천하고 싶어요.

로 빈: 저처럼 춤에 재주가 없는 사람도 도전해 볼 수 있을까요?

아멜리: 당연하죠. 선생님께서 친절하게 잘 가르쳐 주세요. 그리고 배우다가 보면 조금씩 몸의 유연성도 기르게 되고 자신감도 생기거든요. 배울 마음이 있으면 저에게 알려 주세요. 제가 학원에 소개해 드릴게요.

로 빈: 뭔가 여가 생활을 즐기고 싶다가도 시간이나 비용 때문에 망설이곤 했는데 아멜리 씨 이야기를 들어보니까 관심이 생기는데요. 한번 고민해 보고 알려 드릴게요.

6 연애와 결혼

듣기 418

안녕하세요? 저는 인천에 사는 김종선이라고 합니다. 박수현의 사랑은 라디오를 타고를 즐겨 듣는 애청자입니다. 저는 앞으로 한 달 뒤에 결혼을 앞두고 있는 예비 신랑입니다. 매번 다른 사람의 사연만 듣다가 오늘은 라디오로 특별한 청혼을 하고 싶어서 이렇게 사연을 보냅니다.

저와 제 여자 친구는 만난 지 1년이 조금 넘었고요. 제가 은행원으로 일할 때 제 고객으로 만난 것이 인연의 시작이었습니다. 사회복지 재단을 다녔던 그녀는 은행거래가 익숙하지가 않아서인지 자꾸 실수를 했고 그때마다 저는 웃으며 친절하게 다시 알려 주었죠. 그렇게 첫 거래를 저와 하고 나서 우연인지 운명인지 그녀가 은행에 올 때마다 제가 담당 거래 직원이 되는 것이었습니다. 그리고 짧은 거래 시간 동안 저는 그녀에게 조금씩 호감을 갖게 되었죠. 그렇게 3개월이 지나고 많은 고민 끝에 저는 용기를 내서 그녀의 직장을 직접 찾아갔습니다. 그리고 제 진심을 담아 사랑의 고백을 하였습니다. 저의 용기 있는 고백에 그녀도 마음이 움직였는지 흔쾌히 제 마음을 받아 주었고, 그렇게 저희는 연애를 시작했습니다. 1년의 연애기간 동안 우리 두 사람은 서로에게 참 잘 어울리는 옷과 같다는 생각이 들 정도로 모든 게 잘 맞았고, 저는 드디어 결혼을 결심하게 되었습니다.

그런데 결혼 준비를 하나하나 하면서 아직 청혼을 못한 게 마음에 걸리더라고요. 어떻게 청혼을 할까 고민하던 중에 평소에 여자 친구가 유일하게 챙겨 듣는 이 방송을 통해 제 마음을 전한다면 여자 친구가 더 기뻐할 것 같아서 이렇게 사연을 남깁니다.

이제는 제가 그녀의 가장 가까운 곳에서 평생 든든한 버팀목이 되어 주고 싶고, 앞으로 더 행복하게 해 주겠다고, 세상에서 가장 아름다운 아내이자 빛나는 여자로 만들어 주겠다고 약속하고 싶습니다. 저의 예비 신부에게 박수현 씨의 감미로운 목소리로 제 마음을 전해 주세요.

"사랑한다. 은수야! 나와 결혼해 주겠니?"

신청곡은 이승기의 '결혼해 줄래'를 부탁드립니다.

7 문화차이

듣기 421

사회자: 오늘도 어김없이 고민 상담 시간이 찾아왔습니다. 많은 분들이 사연을 보내 주셨는데요. 먼저 첫 번째 사연입니다.

"안녕하세요. 저는 한국에 온 지 7년 된 프랑스 사람입니다. 한국에서 산 지 오래되어서 이제는 아주 익숙해졌습니다. 생활 습관도 한국식으로 바뀌어 버렸지요. 이제 귀국할 날이 얼마 남지 않았는데 문제가 하나 생겼습니다. 보통 한국 사람들은 밥을 거의 빛의 속도로 먹잖아요. 그리고 커피숍에 가서 수다를 떨며 긴 시간을 보내고요. 사실 프랑스와 완전히 반대거든요. 프랑스에서는 대화를 나누면서 밥을 두 시간 정도 먹고 나와 길에 서서 에스프레소를 한입에 털어 넣고 헤어져요. 얼마 전 프랑스 친구와 밥을 먹는데 그 친구의 밥 먹는 속도가 너무 느려서 답답할 지경이었어요. 이제 프랑스로 돌아가야 하는데 제가 적응할 수 있을까요?"

라고 사연을 보내 주셨어요.

패 널: 아, 한국과 프랑스의 식사 습관의 차이 때문에 고민하고 계신데요. 사소해 보이지만 이런 작은 습관이 큰 문제가 될 수도 있어요. 얼마 전에 제 지인도 부인과 치약을 짜는 습관이 달라 크게 다퉜다고 하더라고요. 부인은 가운데부터 짜서 쓰고 본인은 끝에서부터 짜서 쓰는 게 문제라고 해서 무슨 그런 사소한 일로 다투기까지 하나 생각했죠. 그런데 가족이나 친구처럼 가까운 사이라도 작은 습관의 차이로 갈등이 생길 수 있겠더라고요. 이분도 프랑스로 돌아가서 오해가 생기지 않게 미리 주변 사람들에게 한국에서 생긴 습관에 대해 설명하고 익숙해진 한국의 식사 습관을 천천히 바꾸어 나가야겠네요.

사회자: 다음 사연입니다.

"저는 한 대학에서 한국어를 가르치고 있는 강사입니다. 학생들과의 관계에 문제가 있어서요. 큰 고민은 아니지만 어떻게 하면 좋을지 조언을 구하고 싶어서 사연을 올립니다. 한 드라마에서 '넌 학생이고 난 선생이야'라는 대사가 유행한 적이 있었지요. 한국에서는 말 그대로 학생은 학생이고 선생은 선생인데 외국 학생들은 관계가 가까워지면 선생님들을 친구처럼 생각하는 것 같아요. 처음 한국에 오면 인사하는 것부터 알려줘요. 그때는 학생들이 허리를 굽히거나 고개를 숙이면서 아주 깍듯이 인사를 하죠. 그런데 시간이 지나면서 활짝 웃으며 손을 흔들고 지나가는 거예요. 웃는 얼굴에 침도 못 뱉겠고 참 당황스럽더라고요. 인사법을 안 가르친 것도 아닌데 왜 그럴까요?"

아, 정말 당황스러웠겠어요.

패 널: 네, 저라도 당황했을 것 같은데요. 아무래도 학생이 한국 문화를 제대로 이해하지 못해서 생긴 문제가 아닐까요? 자국에서 선생님을 친구처럼 대하는 문화가 있을 수도 있고요. 갈등을 피하기 위해서 상대방의 문화를 먼저 이해하려는 선생님의 노력도 필요하겠지만 다시 한 번 한국의 인사법과 한국 문화에 대해 설명하는 시간도 필요하겠어요. 문화를 모르고 행동했다가 오해를 받고 그것이 갈등으로 이어질 수도 있으니까요.

8 진로

듣기 424

뉴스 진행자: 시사 뉴스입니다. 최근 청년 실업이 늘어 사회적인 문제가 되고 있는데요. 인천의 한 대학교에서 기업과 연계하여 취업에 도움이 될 만한 프로그램을 시행했다는 소식입니다. 한승우 기자의 보도입니다.

기자: 인하대학교와 생생 마트는 1박 2일 동안 영종노에서 '삽(Job)아라 취업캠프'를 실시했다고 합니다. 이 두 기관은 캠퍼스를 떠나 1박 2일 집중 과정을 통해 취업 역량을 강화하고 자연 친화적인 환경 속에서 학습을 겸한 힐링을 하고자 본 취업 캠프를 마련했다고 합니다. 총 32명의 학생들은 준비해 간 정장으로 갈아입고 모의로 인성 면접과 프레젠테이션 면접을 했는데요. 학생들은 이 실습을 통해 호감을 주는 신입사원의 이미지를 만드는 방법과 자신들에게 부족한 점을 보완할 수 있는 경험을 쌓아 취업 면접에 대한 자신감을 배양했다고 합니다.

지금 저는 취업캠프가 열리고 있는 현장에 나와 있는데요. 막 캠프를 마치고 건물에서 나오고 있는 학생 몇 명과 인터뷰를 해 보도록 하겠습니다. 안녕하세요? 이번 캠프에 참가하게 된 계기가 있나요?

학생1: 요즘 "청년실업이 심각하다, 경제가 어려워서 취업이 어렵다." 등의 말들이 많잖아요. 저도 불안한 마음이 들어서 신청을 하게 됐습니다.

기자: 이번 캠프의 좋은 점에 대해서 말씀해 주시겠어요?

학생1: 기업 인사 담당자에게 직접 자기소개서 지도를 받음으로써 기업이 원하는 방향의 자기소개서 작성 방법에 대하여 정확히 알 수 있었던 시간이었어요. 그리고 모의 면접이라든가 프레젠테이션 면접도 실제처럼 진행되어 면접장에서의 긴장감을 체험할 수 있는 유익한 시간이었어요.

기자: 아, 그렇군요. 옆에 있는 학생은 어떤 점이 유익했나요?

학생2: 예전에는 어떻게 면접을 볼까 막막했는데 인성 검사와 프레젠테이션 모의 면접을 통해 실질적인 취업 역량을 향상시킬 수 있었던 눈높이 취업 캠프여서 좋았습니다.

기자: 네, 꼭 좋은 회사에 입사하시기를 바랍니다. 지금까지 취업 캠프 현장에서 한승우 기자였습니다.

듣기 427

직장에서 함께 일을 하다 보면 서로에게 불평과 불만이 쌓이게 된다. 이것은 결국 동료 간의 갈등을 불러일으킨다. 일은 혼자서 하는 것이 아니기 때문에 상대의 성격을 파악하고 갈등을 줄이는 방법을 찾아 실천해야 한다. 다음 네 가지 유형의 사람들을 통해 대안을 찾아보자.

먼저, 모든 일을 자기의 주장대로 이끄는 사람이 있다. 이런 성격을 주도형이라고 하는데, 보통 추진력이 강하고 새로운 도전을 즐기며 활발한 사람들이다. 하지만 이들은 종종 남과 상의하지 않고 혼자서 판단하여 행동하고 앞뒤 계산 없이 일을 벌인다. 독단적인 행동에 짜증이 날 수도 있지만 여유를 갖고 그의 의견에 귀 기울이는 것으로 쉽게 갈등을 해결할 수 있다. 그 후에 다양한 방안들을 생각해 보고 긴급한 것과 중요한 것을 기준으로 일의 우선순위를 정해도 늦지 않는다.

다음으로 원만한 관계 형성 및 소통에 능숙한 사교형이 있다. 일을 할 때 행동보다 말이 앞서기 때문에 동료들은 이들이 일은 제대로 하지 않고 말만 잘한다고 생각한다. 이런 사람들에게는 칭찬과 관심이 중요하다. 또한 말뿐만이 아니라 실제 행동으로 옮길 수 있도록 격려해야 한다.

세 번째로 변화와 도전을 싫어하는 안정형이 있다. 이들은 스스로 노력해서 무엇을 만들기보다는 남이 시키는 것만 한다. 그래서 동료들은 이들이 지나치게 수동적이라며 불평한다. 이때 일을 구분하고 확실한 방향을 정하는 것이 필요하다. 그리고 무엇이든 열정적으로 할 수 있도록 옆에서 격려해야 한다.

마지막으로 신중형은 매우 세밀하며 완벽을 추구한다. 어떤 일이든지 굉장히 꼼꼼하게 하기 때문에 함께 일할 때 주변 사람들이 피곤해한다. 이런 유형의 사람은 세밀한 것에만 집착하다가 전체를 놓치기가 쉽다. 이들에게는 나무에 집착하지 말고 숲을 보라는 조언이 필요하다.

"나 잘났다! 너 못났다!"를 계속해서 강조하면 조화는 곧 깨지고 만다. 어렵지만 하루에 한 가지씩 동료의 좋은 점을 찾아 가는 노력을 해 보는 것은 어떨까?

10 언론

듣기 430

뉴스 진행자 : 고속도로에서 운전자가 버린 담뱃불이 뒤따르던 차량에 옮겨붙으면서 불이 나는 등 크고 작은 화재가 잇달았습니다. 또 갯바위에 낚시꾼이 고립되는 사고도 있었습니다. 휴일 사건, 사고 소식을 김현태 기자가 정리했습니다.

기자 : 고속도로를 달리던 트럭에서 불길이 치솟습니다. 차에서 불이 난 것은 어젯밤 8시 반쯤 중앙고속도로 주변이었습니다. 다행히 인명 피해는 없었지만 트럭에 실려 있던 침대 등이 불에 타서 소방서 추산 약 1300만 원의 재산 피해가 났습니다. 경찰은 담뱃불이 트럭에 옮겨붙으면서 불이 난 것으로 보고 정확한 화재 원인을 조사하고 있습니다.

주차된 차에서도 불이 났습니다. 오늘 새벽 3시쯤 부산 용호동 아파트 인근 도로에 세워 둔 승용차에서 불이 나 소방서 추산 700만 원 상당의 피해가 났습니다. 경찰은 주행하던 차를 잠시 세워 둔 사이 엔진 부근에서 연기가 시작됐다는 운전자의 말에 따라 엔진 과열 등 정확한 화재 원인을 조사하고 있습니다.

오늘 오전 10시 반쯤에는 인천 용현동의 한 재활용 수집 고물상에서 원인이 밝혀지지 않은 불이 나 소방서 추산 약 100만 원의 재산 피해가 났습니다. 불은 고물상 안에서 시작되어 밖에 쌓아 놓은 재활용품에 옮겨붙은 것으로 보입니다.

또 오늘 오후 4시 반쯤에는 50대 낚시꾼 3명이 낚시 삼매경에 빠져 물이 차오르는 줄도 모르고 갯바위에 갇혔다가 구조된 사고가 있었습니다. 이들은 제주시 한경면 앞 갯바위에서 낚시를 하다가 갑자기 밀물이 들어와 고립되자 당황하여 구조를 요청했습니다. 이들은 119구조대에 의해 긴급 구조되었습니다.

해양경찰 관계자는 갯바위 주위에서 낚시를 할 때 밀물과 썰물의 상태를 꼭 확인하고 강풍이 불거나 높은 파도가 일 때는 낚시를 자제해야 한다며 사건 사고 발생 시에는 119로 신고해 달라고 당부했습니다.

이상 IBS 뉴스 김현태였습니다.

듣기 433

지성: 어제 뉴스 봤어요? 어느 공장이 비가 오는 날에 맞춰서 공장 폐수를 내보내는 바람에 근처 하천의 물고기가 다 죽었대요.

메이: 그래요? 정말 나쁜 사람들이네요. 근처 주민들도 물이 더러워져서 고생을 하겠어요.

지성: 그러게요. 이렇게 한 번씩 물이 오염되면 다시 맑아지는 데에는 많은 시간이 필요한데……. 왜 이런 행동을 하는지 이해가 안 되네요.

메이: 그래도 한국은 물이 풍부하니까 크게 문제가 될 것 같지는 않은데요.

지성: 그렇지 않아요. 아무리 물이 많다고 해도 보호하기 위해서 노력하지 않는다면 미래에는 더 이상 지금처럼 물을 마음껏 사용하기는 어려울 거예요. 저희 부모님께서는 물을 사서 마시는 것조차 이해를 못 하시던 걸요.

메이: 왜요? 물을 사서 마시는 것은 당연한 일 아니에요?

지성: 몇 십 년 전만 해도 이렇게 물을 사서 마시는 날이 올 거라고 상상조차 못했대요. 예전에는 주변에 있는 하천의 물을 그냥 마셔도 아무 문제가 없었다고 하시더라고요.

메이: 하긴, 그때에 비하면 요즘에는 수질오염으로 인한 피해가 갈수록 심해지고 있기는 하죠. 그렇다고 계속 이렇게 걱정만 하면서 살 수는 없잖아요. 우리가 할 수 있는 일은 뭐가 있을까요?

지성: 조금만 생각해 보면 그 방법들을 쉽게 찾을 수 있어요. 기름기 묻은 그릇은 휴지로 닦은 후에 설거지를 하면 그만큼 물을 덜 오염시킬 수 있어요. 쓰다 남은 식용유는 신문지에 적셔서 쓰레기통에 버리고요.

메이: 음식물 쓰레기도 가능한 한 만들지 않도록 주의해야겠네요.

지성: 그렇죠. 음식물 쓰레기는 토양오염의 원인이 되기도 하지만 수질오염의 원인이 되기도 하거든요.

메이: 그것 말고는 또 어떤 방법이 있을까요?

지성: 세탁을 할 때도 합성세제의 양을 줄이거나 천연 세제를 사용하면 수질오염을 예방하는 데에 도움이 되지요.

메이: 저도 오늘부터 실천을 해야겠어요. 생각해 보니 수질오염에 대해서 걱정은 했지만 물을 깨끗하게 보호하기 위한 노력은 전혀 하고 있지 않았네요.

지성: '천 리 길도 한 걸음부터'라는 말처럼 우리가 지금부터라도 환경보호를 위한 노력을 시작한다면 미래의 환경은 지금보다 훨씬 좋아질 거예요. 우리 함께 노력해 봐요.

12 말과 글

듣기 436

사회자: 오늘은 대학생들을 위한 제17회 정석도서관 인문학 강연이 있는 날입니다. 한국인들만큼 자국의 문자에 대해 자부심을 느끼는 국민도 없을 겁니다. 한글은 세계에서 유일하게 만든 사람과 반포한 날짜, 만든 원리까지도 알고 있는 문자이기 때문이지요. 그러나 한글은 75억 세계 인구 중 겨우 한반도 인구 약 7500만 명만이 사용하는 문자이기도 합니다. 소수 민족의 언어 중에는 그 존재 가치를 잃고 결국 사라지는 문자도 제법 있습니다. 세계 인구의 약 1/100만이 사용하는 한글이 어떻게 하면 오래도록 살아남을 수 있을까요? 오늘은 언어학 박사이신 김재원 교수님을 모시고 '언어와 문자'에 대한 강연을 듣도록 하겠습니다.

교 수: 우리는 문화의 핵심을 언어라고 하는데 그 언어를 좌지우지하는 것이 바로 문자입니다.

여러분, 언어와 문자에는 어떤 힘이 있을까요? 언어를 문자로 기록하는 것으로부터 문명사회가 시작됩니다. 반면에 문자가 없으면 그 언어는 점차 소멸되고 말지요. 역사적으로도 문자 사회와 문자가 없는 사회가 부딪혔을 때 문자 사회가 살아남아 왔습니다. 이렇듯 문자에는 권력을 모으고 역사를 창출하는 힘이 있습니다. 언어만 갖고도 많은 정보를 알 수 있지만 학문이라는 체계적인 지식을 정립하기 위해서는 문자의 기록이 반드시 필요합니다.

저는 한국이 한글이라는 우수한 문자를 가지고 있어서 지금 이만큼 발전했다고 봅니다. 그러나 한편으로는 한글이 100년 후가 걱정되기도 합니다. 요즘은 초등학교 때부터 영어 교육의 열풍이 매우 대단할 뿐 아니라 대학에서는 영어로 강의하고 논문까지 영어로 내는 일이 보편화되어 있습니다. 한글이 살아남기 위해 무엇을 해야 할지 생각해야 할 때입니다.

만약 어떤 문자로 된 글을 읽었을 때 얻을 게 별로 없으면 그 문자를 배우려고 하지 않을 것입니다. 그러므로 어떤 문자로 쓰인 글이 어느 만큼의 가치를 갖느냐가 나라의 경쟁력을 결정한다고 해도 과언이 아닙니다.

저는 세계 인구 중 약 7500만 명이 사용하는 한글이 생명력 있는 문자가 되려면 한글로 좋은 글을 많이 써야 한다고 봅니다. 왜냐하면 어떤 문자로 쓰인 글이 얼마나 훌륭하고 생산적인 가치를 갖느냐에 따라 언어의 생명이 결정되기 때문입니다.

모범답안

1 유학

듣기

1. ① 2. ② 3. ①

읽기

1. ④ 2. ① 3. ②

2 대인관계

듣기

1. ③ 2. ② 3. ④
4. '친구들에게 자신의 감정을 표현하려고 노력해 보세요.' 등

읽기

1. ② 2. ① 3. ①

3 봉사

듣기

1. ③ 2. ② 3. ② 4. ③

읽기

1. 작지만 큰 행복, 나눔
2. ① 3. ④

4 건강

듣기

1. ④ 2. ① 3. ④

읽기

1. ③ 2. ③ 3. ④

5 여가

듣기

1. ③ 2. ④ 3. ③

읽기

1. 1) 어학 공부, 자격증 취득, 글쓰기, 토론, 꽃꽂이, 서예, 손글씨, 십자수, 뜨개질 등
   2) 수영, 테니스, 승마, 골프, 댄스, 등산 등
   3) 음악 감상, 영화 감상, 공연 감상, 전시회 감상, 낚시, 바둑 등
2. ① 3. ①

6 연애와 결혼

듣기

1. 라디오로 특별한 청혼을 하고 싶어서
2. ④ 3. ③

읽기

1. ④ 2. ③ 3. ④

7 문화차이

듣기

1. ④ 2. ② 3. ④

읽기

1. ② 2. ③ 3. ②

8 진로

듣기

1. ②　　2. ①　　3. ③

읽기

1. 국내기업 취업 도전 '외국인 유학생' 갈수록 는다
2. ②　　3. ①

9 사회와 갈등

듣기

1. ①　　2. ④　　3. ④

읽기

1. 쓰레기 매립장을 내가 사는 지역에 짓는 것을 반대하는 행동
2. 가) : 님비 현상의 정의
   나) : 님비 현상의 예
   다) : 님비 현상 해결을 위한 노력
3. ②　　4. ③

10 언론

듣기

1. ①　　2. ④　　3. ②

읽기

1. ②　　2. ①　　3. ②

4.

주장	근거 / 이유
부정부패를 막는 방부제와 같은 역할을 해야 한다.	신문은 부정부패에 대한 감시와 고발 기능이 가장 탁월하기 때문에
신문 본연의 비판, 견제, 감시 기능을 강화하면서 사기개혁을 해야 한다.	추측성의 보도와 선정적인 광고, 왜곡된 견해 등으로 신문의 기능을 잃고 있기 때문에

11 환경

듣기

1. ③　　2. ②　　3. ②
4. 무슨 일이든 그 일의 시작이 중요하다.

읽기

1. ④　　2. ③　　3. ④

12 말과 글

듣기

1. 언어와 문자
2. ①　　3. ③　　4. ②
5. 한글로 된 좋은 글을 많이 써야 한다.

읽기

1. ②　　2. ③　　3. 정신력　　4. ③

색인

1. 표현

2. 관용 표현

3. 어휘

새인하한국어4

2014년 09월 10일 1쇄 발행
2025년 10월 02일 6쇄 발행
저　자 : 최권진, 유지숙, 장정숙, 이경복
발행처 : 인하대학교 출판부
주　소 : 인천광역시 남구 인하로 100
전　화 : 032) 860-8301
등　록 : 1979년 5월 23일 남구 제13호

인쇄·편집 : 진원디자인프린텍 TEL : 032)467-4544~5

ISBN : 978-89-7407-962-8
978-89-7407-961-1(세트)
정 가 : 27,000원